JN018548
だって、
Even a replic
falls in love
恋をする。
榛名丼
[イラスト] raemz

はじめての、
動物園。

「いちたすいちはー？」
「レッサー、パンダー！」

「当ててみて」

「そっちは何味にしたの？」

はじめての、
お祭り。

「俺がいるけど、どう」

星は頭上でちかちかと瞬いていて、
それはなんだか泣きたいくらいに、美しい夜だった。
死んでも死にきれないくらい、きれいで温かな夜だった。

7歳の時、友達との喧嘩を機にレプリカを生みだした。
以来、学校へ行くのが億劫な日は
自分の代わりにレプリカを行かせている。

愛川素直

セカンド　ナオ

愛川素直に瓜二つの模造品(レプリカ)。
彼女の役に立つために、精いっぱいがんばる。
素直と違って、読書が好き。

レプリカだって、恋をする。

Even a replica falls in love

榛名丼

［イラスト］raemz

Contents

第1話　レプリカは、夢を見ない。

私は、ベッドで眠ったことがない。

布団を庭の物干し竿に干して、お日さまの光をたくさん浴びせたことはある。夕陽が沈む前に、急いで取り入れたことだって。

でも、ベッドに敷き直した白い布団の感触を知らない。

想像するとドキドキする。横になったら、どんなにふわふわするんだろう。

「なに、ぼーっとしてるの？」

ぱちりと目蓋を開く。何度か瞬きをする。

膜が張ったように見えるのは、ベッドに横になっている彼女の視界が、まだ明瞭じゃないからだ。

「ごめん。おはよう」

挨拶に返事はない。

こちらを見ないまま、猫を追い払うようにしっしと片手を振られる。

「二日目でだるい。行ってきて」

どうりで、と納得した私は「分かった」と頷く。

部屋を出て、まずは一階の洗面台に向かう。この時間帯なら誰もいないのは分かっているけれど、足音を殺すのはもう癖になっている。

ばしゃばしゃと冷たい水で顔を洗って、歯を磨く。このあたりで頭がすっきりと冴えてくる。

磨かれた鏡の中から見返してくるのは、茶色い髪の少女だ。

せまい額と細い眉毛。ぱっちりとした二重まぶたに、長い睫毛に縁取られた大きくて丸い瞳。形のいい鼻、桜色の小さな唇。猫みたいにしなやかな手足と、均整の取れた身体。

人によってかわいい、あるいはきれいと形容するだろう魅力的な女の子から、私は目を逸らし、濡れた口元を新品のタオルで軽く拭う。

水気が取れたあとは、化粧水、美容液、クリームの順に肌に塗り込んでいく。

最後に日焼け止めクリームを、顔と首回り、手足に塗る。必要最低限の量にするよう言われているけれど、私だって女だからどうしてもスキンケアは気にしてしまう。

ヘアブラシで念入りに長い髪を撫でつけたら、ブラシについた髪の毛を丹念に取ってごみ箱に捨てておく。すべて借り物なのだから、注意深く使わなくてはならない。

ついでにキッチンに立ち寄り、水切りかごに並んだコップ二つをひっくり返すと、それぞれに蛇口から水を入れる。ごくんと飲み干すのが、私の朝ご飯代わりだ。

コップと鎮痛剤。それにお弁当の入った巾着を手に、彼女の部屋に取って返す。

もぞもぞと、丸まった布団の山が動く。そこから小さな顔だけが現れる。

鏡の中の誰かさんと、おんなじ顔のその子が。

「朝ご飯なに？」

「今日は和風みたい。白米、鮭の切り身、大根の味噌汁、卵焼き、それと」

「もういい」

うんざりしたように遮られる。愛川家の朝食はどうやら二種類らしい。和風か洋風のどちらかで、和風が多め。ちょっとした違いはあるけれど、基本的に副菜の種類は変わらないみたい。ドラッグストア薬剤師のお母さんは、鶏も眠っている早朝に起きて、朝ご飯の支度を済ませてから職場に向かう。夜のはじめ頃に帰ってきたら、てきぱきと夕食の準備をしている。

私はお母さんの顔より、エプロンをつけた背中を見ることのほうが多い。

起き上がった彼女は、ひったくるように私の手からコップと薬を奪う。

本当は胃が荒れるから、何かお腹に入れてから飲むほうがいい。それに、どうせなら胃を満たしてから呼んでくれたほうが、私も助かる。

でも私が小言を言うのを彼女は嫌う。だから私は、クリーム色の壁のほうを向いている。

「いいね、あんたは。血が出るだけで痛みなんか感じなくて」

「うん」

大人しく相槌を打つ私を、彼女は煩わしげに見ている。

中身を半分残した水と、空っぽになった包装ケースを受け取る。またキッチンとの往復だ。

二階の部屋に戻ったら、隅っこでこそこそとパジャマの上下を脱ぐ。

脱いだパジャマは畳んでベッドの下に隠し、壁に取りつけられたハンガーからアイロンをかけた制服を外す。

白シャツに、チェック柄のプリーツスカート。胸元にはターコイズブルーのリボン。ＳＮＳでもかわいいと評判になったことのある制服。冬服はこれに紺色のブレザーもつく。

彼女は制服デザインにつられて、今の高校を受験した。

私も、このキュートな制服が好き。

着るだけで意識がしゃっきりして、背筋を伸ばして歩きたくなる。

「ナプキン四枚もらうね」

やっぱり返事はない。私相手に、いちいち口を開くのも億劫なのだろう。

念のため、筆箱に入っている折りたたんだ時間割表を見ながら、スクールバッグに詰めてある教科書とノート類を確認する。

前に呼びだされたのは五日前だった。再来週には期末試験を控えている。今回もいい点数を取らなくてはならない。

支度を終えたところで、ベッドに向かって声を投げる。

「スマホは？」

ハア、と大きな溜め息が返ってくる。

差しだした手のひらの上に見慣れたスマホが載せられる。パウダーピンクの、シンプルなスマホケース。

最新スマホはほんのりと温かい。布団の中でいじっていたのだろう。

「行ってきます。部屋の鍵はちゃんと閉めてね」

返事がないのはいい加減、分かりきっている。他に何か言いつけられる前に部屋を出た。廊下の奥にあるトイレに寄って、ナプキンを取り替える。階段を下りつつスマホの天気アプリで、今日は朝から晩まで晴れ予報だと確認してから電源を落とす。

時刻は午前七時半。

ローファーを履こうとして、踵が履きつぶしてあるのに気がついた。私は大切に使ってるのにな、と少しがっかりする。堅い革はつぶしてしまうと、靴底から新しくしないといけない。私がお母さんに進言してもいいけど、勝手なことをするとまた彼女に叱られてしまう。だから彼女に直接伝えると、いやみに受け取られてしまうからもっと困る。

へこへこ丸まろうとする踵の革を伸ばしながら、指先を押し込んでいく。履き終えたら、つま先でタイルをとんとん叩く。

玄関に入れてある自転車のかごに、スクールバッグを預けて外に出す。潮風で錆びつかないように普段から家の中に自転車は収容してある。

頭上には、白い雲をいくつか従えた青い空。今日は梅雨の晴れ間らしい。

空を見上げないと、私は季節をうまく感じ取ることができない。

手で庇を作って、水平線に目を眇める。遠くからは風に乗って、ざばんざばんと激しい波の音が聞こえてきた。しょっちゅう台風中継で映される用宗海岸は、今日も賑やかだ。

忘れずに玄関はきっちりと施錠する。警戒しているのは泥棒だけではない。両親とも共働きでとっくに出かけているし、訪ねてくる人もほとんどいないものの、万が一にも部屋で休む彼女の姿を誰かに目撃されるわけにはいかないのだ。

彼女の部屋にも鍵がついている。小学生のとき、彼女が両親に頼んで取りつけてもらったものだ。今頃のそのそと布団から這い出て、溜め息交じりに鍵を回しているだろう。

自転車に跨がり、出発する。

海辺に近いこのあたりは潮の香りがするそうだけれど、慣れきった鼻ではうまく嗅ぎ取れなかった。

私は、愛川素直という少女の模造品である。

素直は七歳の頃、私を生みだした。自分自身と瓜二つの外見を持ち、同じ声で喋る存在を。

セカンドと名づけられた私の役目は、素直の代わりに学校に行くこと。

誰も、私が素直のニセモノだとは気がつかない。本物の素直が部屋ですやすやと眠っていることなんて、知る由もない。

すれ違う近所のおばさんに挨拶をして、ぐんぐんと速度を上げる。犬の散歩をするおじいちゃんを追い越していく。全身もじゃもじゃのヨークシャーテリア。よろよろとした足取りは、おじいちゃんよりも危なっかしい。どうか今年の夏も越えられますように。

からからとホイールが回る。タイヤにやや空気が足りていない感じ。ギアを替えても思ったほど速度が出ない。家に帰ったら空気を入れておかないと、と頭の中に予定を刻みつけておく。

からからとホイールは、回る。

見慣れた景色が前から後ろへと流れていく。

ちょうど信号が変わったのでブレーキを使わず道路を横断。静岡大橋の舗装された自転車道を上っていく。山からの強風が吹くので、ギアを下げて立ち漕ぎしないと車体がちっとも前に進まない。

私が四苦八苦する間にも、ひゅんひゅんと猛烈なスピードで右横を車が通り過ぎていく。タイヤに空気がたっぷり詰まっていても、私が生理じゃなくても、車には敵わない。素直も、きっとおんなじ。

二日前の雨で増水したらしい安倍川と、正面の富士山を交互に見ながら橋を渡りきる。白い粉砂糖みたいな雪を頭のてっぺんに乗せた富士山は、今さら物珍しくもないけれど、五日前は灰色の空に覆われて見えなかったものだから、久しぶりと頬を緩めてしまう。

この難所を乗り切れば、あとは平坦な道ばかり。今日は二回までで祈っていたけれど、信号には三回引っ掛かってしまった。

クラスメイトは私服警官にしょっちゅう捕まっているので、私は黄色い切符を切られないよう、信号がちかちかと点滅したときには早めのブレーキをかけている。

違反内容が書かれた切符。正式名称は自転車指導警告カードと呼ばれるそれを切られた場合、教室の後ろの黒板に貼りつけていくルールだ。勲章みたいに十五枚も集めている男子がいたけれど、最下位のクラスは全校集会で晒されるらしいと噂が流れてから、みんな学校が近づいてくると自転車の速度を心持ち緩めるようになった。

ようやく学校の裏門に到着。洞穴みたいに大きな駐輪場に、他の自転車に挟まれながら勢いよくなだれ込み、ブレーキをかける。自転車から降りる頃には、両足のふくらはぎに心地よいを通り越した気怠い疲労感が溜まっている。

素直の家から学校までは約九キロ。自転車で毎日踏破するには、やや長めの距離だ。

私は調子がいいと三十五分、調子が悪いと五十分ほどで九キロを駆け抜ける。調子がいい、には体調面以外にも、具体的には橋の上の向かい風と、信号機の色合いが影響している。

今日の記録は体感だと四十二分くらい。電源を落としたスマホにいちいち首尾を聞いたりはしない。

ミニタオルで汗を拭う。梅雨が明ければ、本格的な夏が到来する。これくらいの汗では済まなくなる。

同じ服を着た少年少女がごった返しになった昇降口で、踵が駄目になったローファーを上靴に履き替える。こちらの踵は大丈夫そうでほっとした。厳しい先生たちに目をつけられないよう、素直も用心しているのだろう。

「おはよー」

「おはよ、って汗くさーい」

「なにおー！」

とんとんとやっていると、ふざけて抱き合う女の子たちの声が、耳の鼓膜をほのかに揺らす。

昇降口横の階段を上ってすぐが、素直の所属する二年一組の教室だ。

私はおはよう、と言いながら教室に入る。生徒はまだ十五人くらい。そのうち、こっちを見た顔はほとんど男子のものだ。こちらを見ていた女子は、実体のない曖昧な微笑みを浮かべる。まばらに返ってくる挨拶に片方の耳だけ傾けながら、窓際後ろの席についた。

カーテンは引いてあったけれど、全開の窓から入り込んでくる風に押されて、少しずつレールの上を滑っていく。私の机の上にも太陽の光が射してきて、うんざりしてそっぽを向く。汗でぺたりと頬に張りついた髪を、宥めるように風が吹く。

スピーカーの横にはエアコンがついているのに、その口がかぱりと開いたところは一度も見たことがない。

詰め寄る生徒たちに担任の先生が説明するには、うちの高校のエアコンは市からの借り物だとかで、動かすには市の偉い人から逐一許可をもらわないといけないらしい。

でも今日はこれくらい暑いので使いたいです、と今日伝えたって、数分で許可が下りたりはしない。許可申請書はお役所の中をたらい回しにされてしまう。宝の持ち腐れだ。

私たちが飢えた犬のように舌をぺろんと伸ばして、冷えた引きだしに両手を張りつかせているときも、お偉いさんたちは涼しい部屋で快適に過ごしているのだろう。

ちなみに職員室では、いつだって二台のエアコンがフル稼働している。先生たちがいなければ真夏のオアシス。前提が前提なので、誰も寄りつかない蜃気楼。

机に頬杖をつく。ホームルーム前の時間は、だるくて、暇だ。

五分でも十分でも、空いた時間があれば飛びつくようにして会話するような友達は、クラスにひとりもいない。一年生のとき仲の良かった子たちとはクラス替えで分かれてしまって、空気穴のような隙のあるグループも見当たらなかったものだから、素直はこのクラスで、ひとりで過ごすことを選んだ。もちろん私も。

だから私はチャイムが鳴るまでの手持ち無沙汰な時間を、教室内を観察して消費している。

地上を煌々と照らす太陽がこんがりと焼いた、蒸し風呂みたいな正方形の箱の中。口を動かしている同じ年のクラスメイトたちは、目蓋がとろとろとまどろんでいる。

暑いと判断能力が鈍るというか、分かりやすくトーク力が下がっていく。みんな、下敷きで自分の顔をあおいだり、窓の手すりに触れて涼を取ろうとしている。早くも水筒の中身を飲み干してしまい、教室前の水道に走り込む男子もいる。

眺めているとどうにも、私まで眠くなってくる。あくびを片手の中でこぼすと、耳の穴にじわじわと、生温かいお湯が入り込んでくる気がした。

◇◇◇

授業が終わり放課後になると、とたんに空気が緩む。

私がぐっと伸びをする間に、大きな部活バッグを抱えるようにして、ぱたぱたと忙しない足音を立てて数人が教室を出て行く。

私もこのあとは、彼らと同じように部活動へと向かう予定だ。

文芸部が、素直の所属している部活。特別な理由がない限り部活動への参加は校則で強いられているから、素直は致し方なく幽霊になりやすい地味な文化系の部を選択した。

それが文芸部だったのは偶然に過ぎなかったが、私にとっては僥倖だった。素直と違って、私は読書が好きなのだ。

だから部活動くらいは素直じゃなくて、私自身が所属している部だと思っていたい。結局、入部届を書いたのは私ではなくても。

スクールバッグに教科書とノートを詰め、後ろ扉から出ようとしたところで、黒板の右下に目が留まった。

そこに、自分のものよりも馴染みのある名前が、掠れた字で書いてある。

「あ」

気がついていなかった。今日、素直は日直当番だったのだ。

日直の仕事は、細かくいろいろあるが基本的には四つだけ。

毎時間の黒板消しと、移動教室の際の施錠と、学級日誌の作成と、放課後の教室の戸締まりだ。生理痛と日直当番のダブルコンボに苛立って素直は私を呼んだのだと、そのときになってやっと分かった。

授業後の黒板消しは、五時間目までは同じく日直だった男子生徒が何も言わず担当してくれたらしい。その代わりというように彼の姿はもう教室にはなかったし、黒板には英会話の板書がきれいに残ったままになっていて、教卓には手つかずの学級日誌が待ちぼうけになっている。

制服の裾を引っ張られたような気分になって、後ろめたい私は日直の仕事を全うすることにした。

まずは汚れた黒板消しをクリーナーに押し当てて、白いチョークの粉をめいっぱい吸ってもらう。へにゃりとしたバンドに手を通したら、教壇に立ち、上から下に向かうように背伸びをして黒板をなぞっていく。

でも意外に広くて長い黒板を埋め尽くすように書かれた文字列は、そう簡単には消えてくれない。

教室には、背面黒板の分と合わせて三つの黒板消しがある。両手にひとつずつ装着して黒板と格闘する自分を想像してみるものの、むしろ効率が下がるような気がしてくる。

「左半分、やるよ」

そう思っていたとき、背後から低い声がした。

声をかけられたのは、私じゃないだろう。そう思いつつも念のため振り返ってみて、呼吸を止めた。

声の主は、真田秋也だった。

黒くて凜々しい眉。一重の鋭い目に、がっしりとした肩。

頭を支える太い首。顔立ちは精悍に整っているのに、一目見てまず怖いと思ってしまうのは、彼が愛想のひとかけらもない仏頂面を下げているからだ。

私は彼と話したことがない。素直も、一度もないみたい。

でも噂はよく聞く。入学時からバスケ部で頭角を現し、強豪校との練習試合ではほとんどの得点を彼が決めたそうだ。

彼を擁するバスケ部は我が校始まって以来初となるインターハイ出場に王手をかけていた。インターハイの舞台でもスーパースターになれる逸材だと騒がれ、周りの人はみんな、彼の将来に期待していた。だけど……。

「大変そうだから」

気もそぞろな私は、いちいち彼の言葉に反応が遅れてしまう。

真田くんはバンドに手を通さず、黒板消しをがっちりと握り込むみたいにして動かしている。一見、乱暴そうに見える手つきなのに、彼に操られる黒板消しは緩やかな海を泳ぐように滑らかに動き回っている。

私はその手つきに気を取られながら、どうにか口を動かした。

「でも、忙しいでしょ？」

大変そうだからと手伝ってもらえるような、素直と真田くんはそんな間柄ではなかったから。

「俺、今は部活やってないし」

私は、藪をつついてしまった。時間を巻き戻したい、とできもしないことを考える。

「いいから手、動かして」

「あ、うん」

止まっていた手を動かす。上から下、上から下。慎重に下る私を、二周目の彼が追い越していく。

ちらりと目だけを向ける。平静な横顔に苦悶の色はなかったが、彼は私に話しかけてきたときからずっと、身体の左側に重心を置いている。

私の心配とは裏腹に、順調すぎるほど順調に、物言わぬ平たい黒板は生まれた頃のような美しさを取り戻していった。ただし、それは左側だけだ。おざなりな私に面倒を見られた右側は、羨ましげに横目で隣を眺めている。

最後に、右隅に書かれた愛川素直と男子生徒の名前を消して、次の当番二人の名前を書く。役目は終わったとばかりに真田くんが教壇を降りていく。かつかつ、と白いチョークの先っぽでクラスメイトの名前を書きながら、私は大きな背中に声をかけた。

「あ、ありがとう」

掠れた声で口にする。聞こえていたかは分からない。

真田くんが教室を出て行くと、私はひとりきりになった。

まだ明るい窓の外から、運動部の練習する声が聞こえる。近いようで遠い場所では、かきん、と小気味よい音。バットの芯が球を捉えたらしい。

私は学級日誌を持って席につき、筆箱からシャープペンを取りだした。

かちかち、をそっくり三回繰り返したところで、役目を思いだしたようにシャー芯が顔を見せる。私はくたびれた日誌に今日の日付や天気、時間割を記入していく。

備考欄には原則、その日の出来事で教師やクラスに報告すべき内容を書くことになっているが、今までのやり取りを振り返ると、担任の先生としりとりをしている生徒や、絵で埋めている生徒もいる。つまり、好き勝手に書いてしまえばいい。

私は、考える前にそこに一文字目を書いていた。

日直の仕事をしていると、私が大変そうだからと、真田秋也くんが黒板を消すのを手伝ってくれました。
素直の記憶によると、二日前に真田くんは学校に戻ってきたばかりのようです。
彼は黒板消しの達人で、おかげで黒板はぴかぴかになりました。
でも本当は、私に親切にしてもらえる資格はないのです。
私は、入院していた彼をお見舞いに行こうとすら思いつかなかったのですから。

そこまで書いて、ぜんぶ消した。

消しゴムの跡で引きつれてしまった学級日誌を連れて、私は教室を施錠した。
階段を下り、職員室に日誌と鍵を返したあとは、廊下の突き当たりまで歩けば部室に到着する。
文芸部の部室は狭い。以前は物置きとして使われていた部屋を、顔も知らない先輩たちが学校側に交渉し、部室として改良していったそうだ。
彼らは私を知らない。でも私は彼らの名前や作品を知っている。文化祭のたびに文芸部が発行してきた部誌は、創刊号からだいたいが保管されているからだ。

そこには彼らの書いた短編小説や詩、コラムなどが掲載されていた。添えられたイラストはアニメチックなものもあれば、水彩で本格的に描かれた花や植物もあった。紫陽花やころころしたみかんを眺めるたびに、白黒印刷なのを残念に思った。

「あ、先輩。お疲れ様でーす」

「りっちゃん、おはよ」

がらりとドアを開けると、間延びした挨拶に出迎えられる。

広中律子。一学年下の女の子。縁の丸い眼鏡をかけていて、前髪はきっちりと校則規定の黒いピンで留めている。ニキビひとつもないツルツルのおでこは、つるんと剝いた茹で卵みたい。

向かいのパイプ椅子に座る私に、くふふ、とりっちゃんが変な笑い声を上げる。

「いつも思うけど。おはよって、業界人っぽい」

「でもこんにちはだと、なんか堅苦しくない？　こんばんはには早いし」

「そうですかねぇ」

おはよう、はいちばん柔らかい。卵をたっぷり使ったシフォンケーキに似ている。

こんにちは、はちょっと固めに作ってしまった目玉焼き。白身も焦げて、黄身はとろとろの半熟とほど遠い。

りっちゃんのおでこを眺めて、私は卵のことばかり考えている。

「そうだ先輩、新作読んでください。まだ途中なんですけど」

「いいよー」

「やったぁ」

薄くニスが塗られた長机は、同じ大きさの台が向かい合わせに合体してある。そこにりっちゃんがいそいそと原稿用紙の束を置いた。

りっちゃんは小説を書いている。いまどき珍しい手書き派だ。小学生の頃は習字を習っていたりっちゃんの字はとてもきれいに整っていて、本が出版される暁には手書きバージョンも出してほしいなって、私はいつもそんなことを思う。

素直とりっちゃんが出会ったのはずっと前、町内会でのこと。

町内会とは、同じ地域に住む小学生が集まって、日曜の朝に海岸清掃をして、夏休みの間はラジオ体操をして、秋には運動会でかけっこをして、遊園地に行き、一年の終わりにはボウリング大会を開く、そういう集まりのことである。単純に子ども会、と呼ぶ人もいる。

りっちゃんは素直より一歳年下だったけれど、小学生の頃は性別や年齢の違いというのはあんまり重要じゃない。近所に住むりっちゃんは素直にとって気が置けない遊び友達だった。水鉄砲や鬼ごっこで遊び、川遊びやバーベキューではしゃいだ記憶は、今も素直の中で鮮明に色づいているのを、私は知っている。

それでも素直が中学生になった年、りっちゃんが引っ越したのをきっかけに二人は疎遠になった。翌年だけは年賀状を送り合って、そこで交流はぱたりと途切れてしまった。

再会したのは今年の四月。

風が強く、桜の花びらがぶわぶわと舞う日だった。

三月に先輩二人が卒業したが、彼らはほとんど部室に顔を見せなかったのであまり変化はなかった。もともとひとりきりの文芸部室に、同じくひとりのりっちゃんがやって来たのは、体験入部が始まって一日目のことだった。

最初は強張った面持ちをしていたりっちゃんは、私を見るなり口を半開きにして「おお」と呟いた。私は「おお」とは呻かなかったけれど、たぶん似たような顔をしていたと思う。

だって形ばかりのポスターを作って掲示板に貼ってはみたものの、全校集会での部活紹介にも参加していなかった。知名度最低な文芸部に、入部希望の一年生が、まして懐かしい友人が門戸を叩きに来るなんて思ってもみなかった。

でも二人で膝をつき合わせて好きな本の話をしているうちに、緊張は解れて、懐かしさと楽しさばかりが込み上げてきた。外を駆け回っていた小学生時代は過ぎ去り、私たちはそれぞれ読書好きな高校生に変貌していたけれど、プロの野球選手だってあんなにリズミカルに、キャッチボールなんてできないだろうというくらいに会話は弾んだ。

本の趣味が合ったわけじゃない。むしろライトノベルや漫画を好むりっちゃんと、私の読書傾向はまったく合わなかった。でも私たちは昨日も話し込んだ話題の続きを口にするように、お互い好き勝手に話しては笑い合った。

歓迎の意を示すお菓子やお茶も用意できなかったけれど、りっちゃんはその日のうちに入部届を提出した。

そんな後輩の熱の籠もった解説を聞きながら、私は原稿用紙を読み進めていく。

死に神だと周囲に怖がられる少年が、教会で暮らす捨て子の少女と出会って始まる物語。タイトルは未定、とある。

主役の二人もたいそう美形のようだが、その他の登場人物もみんな息を呑むほどの美形揃いのようだ。そんな馬鹿なという感じだけれど、りっちゃんはアニメも大好きで、美男美女ばかり出てくるのは鉄板らしい。

原稿の内容に意識を戻す。主人公の少年と捨て子の少女は生き別れの双子のようだ。そっくりな容姿をうまく利用して、二人は修羅場を掻い潜って生き延びていく。やがて裏社会では、「ダブル」と呼ばれる殺し屋となり……。

「あ、ナオ先輩」

「うん？」

私は照れを隠すみたいに唇をすぼめる。小さい頃、私のことをナオちゃんと呼んでいたりっちゃんは、再会してからはナオ先輩と呼んでくるのだが、まだ先輩と呼ばれるのは面映ゆい。

「そこ、どう思います？　ミックスルーツと混同されちゃうかもだし、名称は変えたほうがいいですかね？」

「ダブルって、二重って意味だもんね」

「そうそう、そうなんです。ドッペルゲンガーとかもありっちゃありだけど、見たら死ぬわけじゃないしなぁ」

ダブル。ドッペルゲンガー。

二重。あるいは複体。

自分とそっくりの姿をした、分身のこと。

「どうでした？」

用紙の束は六十枚ほど。じっくりと一時間かけて読み終わると、向かいのりっちゃんが上目遣いをしている。

「素直に言っていい？」

「愛川素直殿に忖度されるのはいやだからなぁ。お願いします」

猫背気味の背を、りっちゃんがまっすぐ伸ばしている。

「ちょっと、読者が置いてけぼりかもしれない」

「ぐふー」

パイプ椅子の背もたれに寄りかかり、血を吐いて倒れる振りをするりっちゃん。普段からオーバーリアクション気味なのだ。

「この、冒頭のとこ。雪の降る中、主人公の二人が再会する場面ね。ここをもっと膨らませてほしいかも。大事なところじゃない？　ドラマチックな表現よりも、二人の生々しい感情のほうを知りたい」

三ページ目から五ページ目を、ぺらぺらとめくる。

「少年は同じ顔の少女を見つめて何を感じたのか。少女のほうは何を思ったのか。もっと教えてほしいって思ったかな」

単なる素人の意見だから、という前置きはゴールデンウィーク前に置いてきた。りっちゃんによると「感想がどれだけありがたいことか、ナオ先輩は自覚が足りないなぁ」とのことらしい。小説を読んで感想を言葉にするという行為は、わりとハードルが高いのだそうだ。

もう、りっちゃんの小説を読むのは三作目となる。りっちゃんは三か月から四か月の期間で一作品を書き上げる。中学生の頃から執筆を始めたから、まだ私が読んでいないのも何作品かあるようだ。

私はいつも思ったことを率直に言うしかないけれど、そんな私の意見を、りっちゃんはふんふん頷き、メモに取ってまで聞いてくれるから照れくさい。

「参考になります。また読んでくださいね」

「うん」

このやり取りも、四月は違った。りっちゃんは大きな目を不安そうにきょろきょろさせて、「また読んでくれます？」と呟いていたから。

時間を重ねるほど、私たちは少しずつ友達に戻っていき、それで少しずつ、ちゃんと先輩と後輩になっていく気がする。

一年前は、こんな風になるなんて思いもしなかった。私は部室でたまに本を読むだけだった。誰もいない空間でただひとり、ページをめくる音だけが響いていた静かな日々も嫌いではなかった。でも、私は今のほうが、部活の時間を充実したものだと感じている。

原稿用紙に向かって唸るりっちゃんの向かいで、私は文庫本を読み進める。

読んでいるのは川端康成の『伊豆の踊子』。静岡の東端である伊豆を舞台にしたお話。

私もいつか旅に出てみたい。伊豆でなくてもいい。熱海や沼津、三島、富士や富士宮でも、どこでも。

もちろん県内じゃなくてもいいけれど、県の中だってほとんど知らない場所ばかりだから、まずは近場から探っていきたいのだ。叶わないだろう夢だと、分かっていても。

窓の外からは、吹奏楽部が練習するトランペットの音が聞こえる。高らかなメロディー。新しくないほうの宝島。

半分ほど読み終えたところで、長机が表面に赤い光沢を流しているのが目に入った。

ふと見やれば、窓の外がじわじわと濃く染まっていた。午後五時五十分。そろそろ、部活は終わりの時間だ。

文庫本に栞を挟む。白くて小振りなかすみ草が閉じ込められた手作りの栞は、部室に転がっていたのを一時的に借りている。

私は本を読むのが遅い。それに読書するのは部活の時間だけだから、読み終えるにはそれなりに日にちがかかる。

図書室で借りた本は、本来であれば自分の目の届く範囲で管理すべきだろうけど、私には自分の場所といえるようなところは部室しかない。

だからいつも、部室にある本棚の隅っこに本をそぅっと差し込んでおく。部室には普段は鍵がかかっているから大丈夫だと思いつつ、明確にルールを破っているという感覚は心臓をひやっとさせる。

貸出期限は二週間。返却までは、あとちょうど一週間。素直が呼んでくれないと、私はなかなか本の続きが読めないから少しやきもきさせられる。

部室を施錠して、無人の廊下をりっちゃんと並んで歩く。

「来週から部活お休みですね」

「だね」

期末試験の十日前から、運動部も文化部も活動が制限される。

「部室には来るでしょ?」

「もちろん」りっちゃんがにやりと頷く。「勉強場所として最適ですから」

余計なものの少ない部室は、自室よりずっと勉強がはかどる。

「んーん、ヒロインの名前はどうしようかなぁ」

自作のことを熱心に考え続けているりっちゃんは、数秒前の話の続きを口にするように言う。

「どうしよううねぇ」

これは答えを求めていない呟きだと分かっているから、私は相槌だけを返す。

声に出すことで、頭の中が整理されていろんな考えが浮かぶそうだ。ぶつぶつ呟いている最中、「あっ！」と叫んだりっちゃんがメモ用紙にがががっと殴り書きするのは、よくあること。

今日はまだまだ、頭の中の豆電球が明るい光を灯すには時間がかかるらしい。私は心の中で、努力家の後輩にエールを送る。

「ナオ先輩は小説書かないんですか？」

「んー。書かない、というか書けないと思う」

私にはきっと無理だ。真顔でも、逆さまになっても、一文字も書ける気がしない。

素直なら、どうだろう。

聞く機会が訪れることはないだろうけど、なんとなくそんなことを思った。

職員室にはひとりで入室する。鍵置き場はすっからかん。運動部も吹奏楽部も、辺りが薄闇に包まれるまで熱心に練習している。

鍵を返したあとは昇降口に向かう。上靴をローファーに履き替え、私の帰りを今か今かと首を長くして待っていた自転車と合流する。

りっちゃんとは裏門の前で別れた。高校のすぐ近所にお家があるのだ。制服のキュートさではなく、立地的な通いやすさで進学先を選んだそう。

からからとホイールは回る。ペダルにぺったりと乗せた足を、私はくるくると動かし続ける。ローファーの踵はどうにも丸まりたいみたいで、私のアキレス腱を思いだしたように押してくる。もう、元の形を忘れてしまっている。

私が生まれた日の話。

その日、素直はどうしても子ども会の集まりに行きたくなかった。

りっちゃんと喧嘩していたからだ。素直は意地っ張りな女の子だったから、喧嘩をしても自分から謝ることができない。でも喧嘩の原因が自分にあると知っていたから、謝りたくない自分と謝らなければならない自分の間で、板挟みになってしまった。

そんな気持ちの葛藤の末に、私は生みだされた。ただ実際は、素直がりっちゃんと喧嘩をするのはその日が初めてではなかったから、それが理由だったとは言い切れないのだが。

素直は驚きながらも、私に向かって手を合わせた。

まるで神様にお祈りをするポーズのようだった。

「私の代わりに公民館行って、りっちゃんと仲直りしてきてくれる？」

自分と同じ顔を持つ生き物への、緊張と警戒。それとわずかな期待がにじむ声だった。

私はその言葉に従った。初めて公民館に行き、初めて広中律子という少女に会い、愛川素直らしい苛立ちを挙動の端に見せながら、遠回しな謝罪の言葉を口にした。

りっちゃんは素直をあっさりと許し、私は凱旋するような心持ちで初めての帰路を辿った。

私の帰りを今か今かと待ちわびていた素直は報告を聞くなり、大喜びで私を抱きしめた。

その日の夕方、両親が帰ってくる前に素直と私は手を振って別れた。素直が「じゃあね」と言えば、私の意識はそこで途切れていた。

翌日、素直はまた私を呼んだ。

消えている間の記憶はなかった。だけど素直に呼ばれると、薄暗いところから急に意識のかけらのようなものがぶわりと浮かび上がり、集合して、私という存在を形作っていった。

私は呼ばれるたび、合わせ鏡のように、今現在の素直と同じ格好をしてどこかから現れる。パジャマを着ていればパジャマ、新しい洋服を着ていたら新しい洋服。消えると、着ていた服も一緒に跡形もなく消える。

ただし途中でパジャマから洋服に着替えた場合は、私が消えると、私が着ていた洋服だけがその場にぽつんと残るらしい。私が着てきたパジャマは、私と同時刻に消えてしまう。

なんにも増えないように。なんにも減らないように。神様か誰かの都合なのか、物事というのは辻褄が合うようにうまく調整されているらしい。

素直の大きな瞳には、誰も持っていない珍しいオモチャを手に入れた喜びと誇らしさだけが、爛々と浮かぶようになった。

「知ってる？　ほんものとおんなじに見えるのに、ほんものじゃないものは、レプリカって呼ぶんだよ」

覚えたての知識を披露する素直は、得意げだった。

それに幼い頃の素直は子どもらしく好奇心が旺盛で、いろんなことを試したがった。

レプリカはどれくらいの時間、存在していられるのか。お菓子を分け合って食べたら、二倍、お腹は膨れるのか。同じテストの問題を解いたら同じ点数を取れるのか。じゃんけんをしたら、いつまでも続くのか……。素直は子どもの小さな脳が思いつく限りのありとあらゆることを試した。

そうして分かったのは、素直と私は生物学的にはほとんど同じ存在だということ。ただ、二人の間には川が流れるように大きな隔たりがあった。

着ている服だけじゃない。私は出し入れされるたび、最新の素直の記憶を持って生まれてくる。でもそれは自分自身の経験としてではなくて、川の向こうの景色に目を凝らすように、実感とは遠いものだった。

たとえば、素直が昨日見たバラエティ番組の内容を私ははっきりと覚えていない。素直自身がちゃんと記憶していないからだ。

小説を読むのは、私が素直の記憶を探る感覚と似ている。素直にとって印象的な出来事はくっきりとした明朝体で書かれていて、整っていて読みやすい。でもにじんでいる字や、インクでべとべとの字を読み取るのは難しい。

どうやら素直にとって嬉しいこと、いやなことなど、喜怒哀楽を司る記憶は明瞭で、それ以外の興味が薄いことは、私には曖昧に感じられるらしい。

海辺で砂の城を作っても、次の波が来れば一瞬で消え去ってしまう。でも城を作っていたという跡だけは、ほんのわずかに残っていたりする。リアルタイムで素直の記憶を引き継げない私は、淩われたあとの砂地に何かが浮き出てくるのを、いつだって辛抱強く待っている。

もどかしさを感じていた。私はもっと素直の役に立ちたい。素直に褒めてほしい。素直に、喜んでほしい。

季節が巡り、学年が上がっていくにつれて、素直が学校の勉強に追いつけていないことを知った。

私は隙を見つけて教科書を開いては何度も読み込み、内容を頭の中にまとめた。

素直には私の記憶や経験、怪我は共有されない。たぶん必要がないからだ。愛川素直は愛川素直であって、彼女を構成するのにレプリカの要素はいらない。

だからあるとき勉強を手伝うと申し出てみたけれど、素直はガラス玉のような目を向けてきて呟いた。

「いい。代わりにテスト受けてきて」

素直に恥ずかしい思いはさせられない。私は自分にできる限りの努力をして精いっぱいの点数を取るようにした。

当初、素直は私のことを気が置けない友人か、あるいは双子の姉妹のように接していた。素直は鍵っ子だったので、私の存在は彼女の気を紛らわせていたのだろう。

素直は私を呼ぶと、大好物のシュークリームを半分こにしてくれた。一緒に本を読んだ。アニメを観てたくさん笑い合った。一緒にいるところを誰にも見られてはいけない私たちは、秘密を共有した二人きりの親友のように仲が良かった。

そういう時間は、気がつくとなくなっていた。私を呼びだした素直は用件を呟くだけで、他のことは何も言ってくれなくなった。

私は素直のために、喧嘩した友達と仲直りをする。

私は素直のために、テストを受けていい点数を取る。

私は素直のために、山登りをして、マラソンをして、シャトルランだって腕を振って走る。

素直のために、素直のために。私のすべては、素直に捧げるためにある。

食事や排泄、睡眠は、私にも人並みに必要だけれど、素直が「もういい」と言えばどこへともなく消えるので、素直は私の生活に頓着しなくなっていった。

だから私は、朝ご飯を食べたことがない。昼ご飯はよく食べる。お菓子は、素直が分け与えてくれた頃にだけ。分けても二倍、お腹は膨れないシュークリームを素直はひとりで食べるようになっていた。

夕ご飯はほとんど食べたことがない。ついでにいうと誕生日ケーキを食べたことも一度だってない。

高校に上がってから、お昼は給食じゃなくてお弁当になった。私はそれが本当に嬉しかった。忙しいお母さんが用意してくれるお弁当には、前日の夕ご飯の残りが入るからだ。

プラスチックの容器に入れるためにキッチンバサミで切られたからあげ。コロッケにハンバーグ。味が染み込んでいてどれもおいしかった。

しかもわざわざお弁当のスペースを埋めるために、用意してくれるおかずもあった。甘いマヨネーズが溶けたポテトサラダ。アルミホイルに載ったマカロニのグラタン。苦いアスパラガスを抱きしめるベーコン。塩が振りかけられた茹で卵。食が進むように、白米には鮭のフレークや牛そぼろ、のりたまのふりかけもかかっている。

私が毎日のふりかけに喜びを見いだしていることを、素直は知らない。

今じゃ素直は根っからの運動嫌いで、私は好き。

素直は勉強が嫌いで、私はまぁまぁ好き。そう思い込まないと、レプリカなんてやっていられない。

次の日も、素直は私を呼んだ。重い生理痛に苦しむ素直は、私を呼ぶ頻度が増す。

今朝は起き上がる気力もないようだ。私は水と鎮痛剤を猫足のテーブルにそっと置いてから家を出る。

授業を受けて、ひとりでお弁当を食べて、午後はうとうとして、放課後は教科書を片づける。誰も、代わりにレプリカが授業を受けているとは夢にも思わない。

文芸部室に行く。いつも通り部室の鍵は開いている。りっちゃんは、放課後になると真っ先に鍵を取りに行ってくれる。

鍵のかかっていない部屋は、なんとなく安心する。学校から戻ってきた私を迎える家の玄関も、素直の部屋も、しっかりと施錠されているから。

「おはよう」

「おはようございます、ナオ先輩」

卵の額がつやつやしている。汗の影響も大いにあるみたい。

りっちゃんの表情には疲れが見える。全開になっている窓から見上げれば、夏そのものみたいな形をした入道雲が気持ち良さそうに空に浮かんでいた。

錆びた扇風機が部屋の隅でかくかくと首を揺らしているが、そこから吹いてくる微風はあまりに頼りない。私たちを生かそうとする気力がなければ、自分がこの夏を生き抜いてやるという気概も感じられない。

名ばかりの梅雨はまだ明けないまま。天気予報は雨マークが続いていたはずなのに、昨日も今日も日が照っている。

「支給金があれば、新しい扇風機が買えるのにね」

「まったくです。ないものねだりですけど」

りっちゃんは机の上にだらしなく寝そべり、半日で扇風機を睨んでいる。

部員が二人しかいない文芸部に、学校が貸し与えてくれるのは小さな部室だけだ。

「部費の徴収とか、します?」

ぎくりとした。

当然だけれど、レプリカの私にお小遣いは与えられない。

お人形を、リップクリームを、洋服を、ブルーレイを、スマホを買ってもらう素直の記憶を見て、羨ましいなと思ったことはある。クラスメイトに不審がられないようスマホを持参してはいても、結局これは私のものじゃないのだ。

何も持っていない私は、自分だけの何かがほしかった。

子どもの頃は率先してお風呂掃除や洗濯をして、手伝い賃をもらった。

埃をかぶった缶の中に、私は五十円玉を隠し続けた。小学六年生の頃、素直が卒業旅行でディズニーランドに行ったとき、お土産に買ってきたクランチチョコレートの缶だ。

私が内緒で缶を使っているのを、素直は知らない。缶のこと自体を忘れているのだと思う。

手伝い賃は今の今まで、一度も手をつけずに貯めている。大きな缶はとっくに五十円玉でいっぱいになって、困った私は二階の廊下にある戸棚の奥に、二重にしたスーパーの袋と缶を置いている。

どちらも中身は五十円玉だらけだ。ざっくざく。素直にばれてはいけないので、たっぷりと錆のにおいがする袋を持ち上げてみたことはない。

「扇風機って、どれくらいするのかな」

「家電量販店で見たら、古いやつならけっこう安かったですよ。いちばん安いと千円くらい」

「えっ、やす！」

夏場の扇風機の価値を考えれば、てっきり一万円くらいはするのかと思っていた。

「それなら、ひとり五十円玉が十枚あれば買えるよね」

「なんで五十円玉換算なんですか」

おかしそうにりっちゃんが笑う。お風呂掃除も洗濯物を畳むのも、掃除機かけも一律五十円。眺めているとドーナツみたいでかわいくて、子どもの頃の私は小さな硬貨を宝物のように手の中に握り込んでいた。

こんこん、とドアがノックされる。

私とりっちゃんは口の動きを止め、顔を見合わせる。わざわざノックして文芸部を訪ねてくる人なんて、今までひとりもいなかった。

りっちゃんが声を張る。

「開いてますよ」

立て付けの悪いはずのドアが静かに開いていった。

そこに立っていた人物を、私は見上げる。背の高い彼の名前を、私は知っていた。

真田秋也くん。私のクラスメイトで、元バスケ部で、黒板消しの達人。昨日と異なり今の真田くんは、ほんの少しだけ驚いているように見えた。

でも、どうして真田くんが文芸部室に？　疑問は喉の奥に詰まって出てこなくて、声もなく戸惑う私に、真田くんは少し首を傾げるようにした。

「入部したいんだけど、いい？」

「え？」

低い声で思いがけないことを言われた気がして、私は目を丸くする。

「ええと、誰が？」

「誰がって、俺がだけど」

そりゃそうだ。そうなんだろうけど、意外すぎる。

芳しくない反応を誤解したのか、真田くんがぽりぽりと頰をかく。

「なんかルールとかあんの？」

ルール？

「入部の条件」

「特にないです、けど」

「なんで敬語？」

「え、それは」

「こういう中途半端な時期に入部はお断りな感じ？」

「うぁあ」

矢継ぎ早に質問されて、頭が追いついてこない。口も回っていない。

「入部希望者、大歓迎ですよー。部員二人しかいないから」

長机に肘をついたりっちゃんがにっかりと笑う。

相手は男子で、先輩で、しかも真田くんなのに、りっちゃんは落ち着いている。私よりも、ずっと余裕がある。

「ナオ先輩。入部届書いてもらって、一緒に提出しに行ってくださいよ」

「え、あ、うん」

さらりと助け船まで出してくれた。私よりよっぽど先輩らしい。

でもりっちゃんの言う通り、名ばかり部長であってもそれは私の役割だろう。とりあえず立ち上がった私だったが、そこで困った。

「りっちゃん、入部届ってどこにあるんだっけ」

頬がちょっぴり赤くなる。私が名ばかり部長なのが、新入部員にさっそくばれちゃう。

「あそこの棚にあるカンカンの中です」

カンカン、カンカンね。

これもディズニーランドの缶。おせんべいが入っていた、平べったくて大きいサイズ。詰め込まれていただろうおせんべいは、ずっと前に卒業した先輩たちが食べ尽くしている。

かぱりと埃っぽい蓋を開けると、雑紙の束が出てきた。なんじゃこりゃと思いつつ、ぺらぺらとめくっていくと、ようやく入部届を発見する。

A4サイズを半分にしたA5サイズの紙が、輪ゴムでまとめられている。ペーパーカッターがなかったのか、変に曲がっていた。そこらへんにあるハサミを使ったのだろう。

なんとなく汚れが少ない気がして二枚目を抜きだしたところで、はっとした。真田くんは律儀にも部室の外に立ったままでいる。

「これ、お願いします」

紙を手にして早口で言えば、真田くんが頭をかがめて部室に入る。左足にぐっと体重をかけ、右足で床を踏む時間を最小限に抑えた歩き方だ。

大丈夫か訊くのも余計な気がして、黙ってしまう。りっちゃんは目をしばたたかせたが、やっぱり何も言わなかった。

彼がパイプ椅子を引く。私の隣の席。四人分の椅子があるけれど、りっちゃんの隣は窓際なので、出入り口から近い私の隣が選ばれたのはほとんど必然だった。

背負っていた黒いリュックを下ろした彼に、りっちゃんが「どうぞ」とボールペンを渡す。いつもなんとなく机の上に転がっている、先輩の誰かが置いていったボールペンだ。透けて見えるインクはとっくに切れている様子なのに、いつまでもどばどばと黒いインクが出てくる。

サンキュ、と真田くんが短く返した。反射神経が鈍い私は、二人の頭の上で視線を右往左往させながら、入部届を机の上にそっと置いた。

真田くんは整った字で入部届を埋めていく。部活動の欄は「文芸部」の字がコピーされているので、記入する欄は学年、クラス、氏名の三箇所だけでいい。

一分と経たず書き終えた真田くんが立ち上がった。パイプ椅子を引く耳障りな音はしなかった。身体が大きいのに、彼の周りは不思議と物音が小さい。なんでだろうと考えるより早く、りっちゃんに送りだされる。

「行ってらっしゃいませー」

私と真田くんはさっそく職員室に向かう。

職員室はすぐ近くだ。部室を出て、右の右。

「あー、涼しい」

職員室のドアを開けた瞬間、思わずといった様子で真田くんが独りごちる。まったく同感だ。汗ばんだ額や頬、首筋を、冷えた風がこれ見よがしに撫でていく。

やっぱりここはオアシスじみている。無敵のヴェールに身体全体を包まれて、氷の魔法を自由に扱う魔法使いのような気分になる。

「失礼します」

昨日ぶりに注意深く唱える。机に向かう先生たちの目がこっちを向くけれど、すぐに興味を失ったように逸らされる。この数秒間、私はいつも胸がドキドキしてしまう。この緊張感が苦手だから、住処の隣の隣にオアシスがあると知っていても、あまり寄りつくことはない。

入部届の提出先は、文芸部顧問でもある赤井先生だ。でも先生は不在だった。剣道部と文芸部の顧問を掛け持ちしているので、手のかからない文芸部は普段から放置されている。私とりっちゃんの生真面目さと、羽目を外さない大人しさをよく分かっている先生は、困ったことがあるときだけ相談するようにと言っている。今のところ先生の目論み通り、特にそういった事態は訪れていない。

「机の上に置いておこうか」

エアコンの稼働音とペンの走る音だけが響く中、乾いた唇を開く。

「おう」

真田くんのほうは緊張とは無縁のようだ。散らかった机の真ん中に、きっちりと入部届を置いている。

私は文鎮代わりにとカエルの置物を、薄っぺらい紙の端っこに載せた。これで気がつかれないことはない。赤井先生は大のカエル好きで、机の上には旅行先で蒐集したカエルグッズがけろけろと転がっている。先生は職員室に戻ってくると、カエルたちが元気にしているか必ず一匹ずつ確認するのだ。けろけろ。

職員室を出ようとしたところで、私は遅れて気がついた。何人かの先生の目がこちらを見ている。私ではなく、見られているのは真田くんだった。

彼は上背があるし、歩き方がひょこひょこしているので、視界の端に捉えるだけでも目立つのだろう。それでも嫌悪を感じた。バスケ部を退部した生徒が何をしにきたのかと遠巻きに観察するような、好奇心を隠さない目つきに。

真田くんは、素知らぬ顔をしている。

たぶん、刃引きした刃物みたいな視線に、気がついているからこそ。

「失礼しました」

ぴしゃん、と攻撃的な音を立ててドアを閉めた私に、真田くんは何も言わなかった。乱暴な奴だと思われたかもしれない。

職員室を出ると、ちょうど八秒くらいで無敵のヴェールは呆気なく剝がれてしまう。つかの間の夢を見ていた頭のてっぺんからつま先まで、元の世界に呆気なく戻されてしまう。

名残惜しそうに、真田くんがシャツを持ち上げてぱたぱたと動かしている。ここにはもう、生ぬるい空気だけが居残っている。

ささくれ立った心のまま、部室に戻りたくはなかった。

「図書室、寄っていっていい？」

職員室の隣。つまり文芸部室と職員室の間にあるのが図書室だ。

もとは物置きだったといえども、これだけの好立地を獲得できた先輩たちを私は尊敬している。多くの学生にとって職員室のご近所は罰ゲームに近い位置取りかもしれないけれど、図書室を利用する頻度が高い私にはありがたい。

「分かった」

開け放たれたドアから入室する。顔見知りの司書さんと、本を借りる上級生の姿が目に入った。

ちらっと本の背表紙を確認する。乃南アサの『しゃぼん玉』。どんな本なのかタイトルだけだと分からない。今度読んでみようかな。

図書室の利用者は普段から少ない。職員室の半分くらいのサイズの部屋には所狭しと本棚が置かれているが、ここで同時に五人以上の生徒を見たことはない。授業で調べ物ができたときは、テーブルが埋まるくらいの生徒で溢れたりもするけれど、そういうときの図書室は雑多な物音で溢れていて、なんだか知らない場所のように感じる。

壁に沿うように並ぶ本棚の脇を歩いて行く。通学路と同じくらい通い慣れた小道。黄ばんだ本の香りに囲まれていると、荒んでいた気持ちが凪いでいく。

私は現在、近代日本文学作品をローラー中だ。芥川龍之介、太宰治、樋口一葉、坂口安吾。誰でも名前や作品名をひとつは知っているような、超超有名な作家たちの作品を読みまくっている。

今とは名前の違う時代に書かれた作品は、意味の分からない言葉が出てくることも多くて、部室に置いてある広辞苑や国語辞典によくお世話になっている。本によっては単語の解説が後ろにまとめられていたりもするけれど、解説の中にも分からない単語があると、辞書を開かずには読み進められなくなる。ぺらぺらと分厚い辞書をめくって、単語を指で辿る時間や、目についた言葉に心奪われて読み耽る時間が好きだから、電子辞書は授業以外では使わない。

近代日本文学の前は何ローラーしていたかというと、海外推理小説ローラー。その前は現代文学ローラー。有名な作品や気になった作品をいくつか手に取っただけだから、その方面に一気に明るくなったわけではない。

私が本を読むスピードよりも、一冊の本が世に生みだされるスピードのほうがずっと速いのだと知った。

真田くんは無言で、ゆっくりと後ろをついてくる。

話しかけようと思い立つのに、そう時間はかからなかった。私語厳禁ということになっているが、うるさくしすぎなければ怒られたりはしない。前に注意されたのは、隣のりっちゃんが「やば！　リゼロ置いてあんじゃん！」と叫んだときだけだ。

そういえばリゼロがなんなのか、聞きそびれたままだった。

「真田くんって、本とか好きなの？」

「別に」

別に好きじゃない。別に嫌いじゃない。どっちだろう。

「フツー」

なるほど。

だいたいの人はそうだと思う。本は好きですか。別にフツー。

今さらながら、部活動について何も説明していないことに思い至った。

「文芸部ではね、私はだいたい小説読んでて、さっき部室に一緒にいたりっちゃん……広中律子ちゃんは、自作の小説を書いてるの。ときどき、私はりっちゃんが書いた小説を読んで感想を言ったりもする」

返事はなかった。ついさっきまで、端的にでも言葉を返してくれていたのに。

不思議に思って振り返ると、真田くんが頬をかいている。数分前にも見た仕草だ。

あ、と遅れて気がついた。十本の指はきっちりと爪が切られていた。困ると、頬をかく癖があるのかな。

「小説って書いたことないんだけど、書かないと駄目とかある？」

心配事のポイントが分かって、私は微笑んだ。

「ないよ。ぜんぜん。コンクールとかも別にないし。あ、りっちゃんは個人的に小説賞とかに送ったりしてるんだけど」

「へぇ」

関心が薄い相槌。

「あとは文化祭のときに部誌も発行する。去年のは感想文を掲載しただけなんだけど、普段は小説や詩とか、コラムやエッセイを載せたりするの」

「感想文って、読書感想文？」

「そうそう」

私と先輩二人とも、文章やイラストを書く人じゃなかった。でも何も発行しないわけにもいかず、三人ともとりあえず本の感想を千字くらい書いて、脇にフリー素材のイラストを貼りつけた。歴代の部誌の中で、恥ずかしいほどに最もページも内容も薄っぺらな一冊。

今年はりっちゃんがいるから、昨年の二の舞にはならないだろう。

「愛川って、真面目に部活動とかやるんだ」

急な一言に、控えめに浮かべていた笑顔が固まる。

「いつも体育館の外できゃーきゃー言ってるイメージだったから」

うっかり項垂れそうになった。

素直は一度も、文芸部室に来たことはない。そんな素直が放課後に何をしているかといえば、イケメン揃いと有名なバスケ部の練習を見学しているのだ。

素直自身はそこまでバスケに興味がなくて、ただミーハーな友達の付き添いとして見学しているだけのようだが、そんな細かい言い訳をしても無意味だろう。

真田くんもついこの間までバスケ部の一員だったのだから、当然、素直のグループがきゃーきゃーしているのをよく知るひとりである。そんな姿は、彼にはどんな風に見えていたのか。

「否定はしないけどね」

嘆息する私に、真田くんは追撃をしなかった。揶揄するつもりもなく、思ったことを口にしただけのようだ。

これで話は終わったとばかり、きょろきょろとしている。上背のある彼の身長は本棚と背比べができるくらい。

本だらけの部屋を、物珍しげに見回している。

彼の目にはきっと、私とは違うものが見えている。

「どの本借りんの？」

「ううん。今日は私じゃなくて、真田くんが読む本探そう」

私は『伊豆の踊子』を読み終わっていないから、次の本を探すのはもっと先でいい。

真田くんが一度こっちを見る。

もしかしたらいやがられる？　別に本は読みたくないとか？

「おすすめの本とかある？」

予想と異なり、わりと乗り気のようだった。

「え、あ、うーん」

一口に本といっても、ジャンルや種別は様々だ。絵本から文芸書、図鑑や歴史書に学術書、ファンタジーや恋愛小説と、挙げてみたらキリがない。

質問を質問で返すのは良くないかもしれないが、一応訊いてみる。

「本の好みとかってある？」

「ない」

ばっさりだ。

「じゃあ国語の教科書に載っていたお話や詩で、印象的だったものとかは？」

白目の中を泳ぐ黒い眼球が、蛍光灯のほうを向く。

「向上心のないやつは、馬鹿だ」

自分に言われたのかと思って、びくりとした。

「そんな台詞が出てくる話、授業でやったなって」

呼吸を落ち着かせてから、返事をする。

「夏目漱石の『こころ』だね。『精神的に向上心のないものは、ばかだ』」

「ああ、それだ」

夏目漱石の代表作で、日本で一番売れたとされる小説でもある。

レプリカとしては、私は向上心のあるやつだと思う。運動能力は素直に準じるけれど、教科書を読み直したり、シャトルランのコツを本で調べたり、私自身にできる努力を重ねて、それなりにいい成績を取っている。自分以外のレプリカに会ったことはないから、比較はできないけれど。

歯が抜けたように隙間のある本棚の間を歩いて行く。昨年からしょっちゅう立ち寄っているから、どの作家の本がどのあたりにあるのかだいたい把握できている。

文庫本の『こころ』を手に取る。それなりに厚い本を目にして、真田くんは目をぱちくりとしていた。教科書だと数ページしかないので、気持ちはよく分かる。

「教科書に載っている話って、だいたいが長編の切り取りだったりするんだよ。『こころ』の場合も話が上中下に分かれてるんだけど、下の数場面しか掲載されてないんだ」

少しでも本に馴染んでほしい、という思いで載せられるのだろうか。大人が想定するより数は少ないだろうけど、教科書に載ったお話の続きが気になった学生が足を向ける先は、図書室や町の図書館。あるいは、ウィキペディアや書評ブログであるのは間違いない。

真田くんは本を受け取ってくれた。

「読んでみる」

「うん。良かったら、感想聞かせて」

「分かった」

人の感想を聞くのも、私は好きだ。

一冊の本を読んでも、思うことはそれぞれ違う。人の数だけいろんな考え方があるなんて、そんな当たり前のことを実感する瞬間、私はなぜだか、いつもほっとする。

本棚の中には、タイトルだけ知っている本がちらほらある。読んだことのある本がわずかにあって、知らない本は、その倍以上ある。

出版業界では、一日に数百冊の本が出版されていると聞いたことがある。私は五日から十日くらいでようやく一冊の本を読み終えるけれど、その間に世界には読み切れないくらいの本が増えていく。それは私がレプリカじゃなく、ただの人間で、毎日自由に読書の時間が取れたとしても、きっと変わらないこと。

カウンターで貸出手続きを済ませて部室に戻ると、りっちゃんが「扇風機が壊れた！」と喚きながら地団駄を踏んでいた。

ぽかんとしている私たちに気がつくと、芝居がかった動きで両手を広げる。

「先輩方！　いよいよ駄目です、もう終わりです。暑すぎてここで死にます」

真っ赤な顔をしているのは興奮しているからか、気温のせいなのか。

興奮したりっちゃんを宥めるのはそれなりに骨が折れる。どうしたものかと困っていると、後ろで真田くんがぼそりと呟いた。

「良かったら持ってくるけど」

「なにを？」

「扇風機。家に使ってないやつあるから」

私とりっちゃんは顔を見合わせた。

「……神だ」

今回ばかりはりっちゃんの反応は大袈裟ではない。私も両手を組んで拝みたいくらいに感動していた。まだ吹いていない爽やかな風を、私たちは早くも頬に感じてときめいている。

「いいの？　本当に？」

「使ってないやつだし」

やっぱり神だ。

「ありがとう。本当に助かる」

両手を合わせて頭を垂れる。神様へのお祈り。

「大したことじゃないから」

真田くんはそう言うが、耳の先が赤くなっているようだ。

もしかして、照れてる？

いや、まさか。

「なに？」

「な、なんでも」

注視しているのがばれたようで、顔の前で両手をぶんぶんと振る。

真田くんは訝しげにしつつも、着席して『こころ』を開いている。さっそく読んでみるつもりらしい。読書の邪魔をしたくなかったので、私はそそくさとその場を離れた。

扇風機を隅に運ぶりっちゃんに、小声で話しかける。

「りっちゃん、すごいね」

「そうでしょ。って、なにがですか」

「だって真田くん相手に、ちゃんと話せてるっていうか」

たぶん、私は無駄に力んでいる。少し話しただけで真田くんが怖い人でないのは分かっていたけれど、それでもちょっとどきりとしてしまう。相手が男の子というだけで、心臓の表面に鳥肌が立つような、そんな感じを覚える。

小学生の頃は、こんな風に感じなかった。みんな似たような身長や顔つきの子が多かった。

でも今はうっすらと髭が生えたり、シャツの隙間から覗く濃い脇毛だったり、近寄るだけで漂う汗のにおいに、明確な苦手意識を持っている。

そういえば真田くんは、汗のにおいが薄かった。

本を手渡したとき、シャツの袖口からは淡い石けんの香りがした。

「従兄弟とたまに遊ぶから、むさい男子には耐性がありますよ」

こ、声が大きい。

振り返って確認すると、真田くんは読書を続けている。聞こえなかったみたいでほっとした。

素直には兄弟姉妹がいないし、年頃の近い親戚もいない。

もし兄か弟がいたら、私も真田くんとなんでもないように自然と会話ができたのだろうか。

そんな詮ないことを、少しだけ考えた。

部室の隅で古めかしい扇風機は沈黙している。ががが、と不安になるような変な音を立てる気力もなくしてしまったのだ。

錆の浮いた羽根ガードに守られた、弱っちくて薄っぺらなプロペラ。空を飛べない回転羽根が、恨めしげにこっちを見上げた気がした。

たぶん、目と目が合った。

私は素直のレプリカだけれど、扇風機は、どれも全部ほんもの。

「扇風機ってどうやって捨てるのかな」

「粗大ごみですかね。赤井先生に訊いてみましょう」

二人で見下ろす。

「ねぇ、供養しようか」

「なんですか供養って」

笑いながらも乗ってくれたりっちゃんが、なむなむと手を合わせた。

「今までありがとうなぁ。あんさんのおかげでどうにかこうにかやって来られたよぉ」

なんでかおばあさんみたいな口調。

「たくさん働いてくれて、ありがとうございました。私たちは大丈夫なので、どうか安心してお眠りください」

気がついたのか、真田くんが話しかけてくる。

「何やってんの」

「お礼の言葉を伝えてるの」

それっきり本に視線を戻すかと思いきや、机に文庫本を預けた彼が近づいてくる。

私とりっちゃんと同じように、手を合わせると。

「扇風機、ありがとう」

やっぱりいい人だなぁ、と思った。

「あ」

そこで大事なことを言い忘れていたのを思いだした。

「真田くん、ようこそ文芸部に。歓迎します」

「え、今?」

本当に今? って感じのタイミングだったので、ちょっと恥ずかしい。

でも明日じゃ、もっと変だ。そう気がついたのか、横のりっちゃんが「歓迎しまーす」と勢いだけの拍手をする。私もまばらに拍手を打つ。

手と手が当たって飛びだす音の切れ目に、真田くんが「どうも」と頭を下げた。

文芸部に、三人目の部員が入部した。

第2話　レプリカは、サボる。

「ねぇ、どういうこと？」

浮上したばかりの私は、ゆっくりと空気を吸う暇もなく素直に詰め寄られていた。

私をセカンドと名づけたのは素直だけれど、素直は私のことをそう名づけて以来、一度も呼んだことがない。「ねぇ」や「ちょっと」、機嫌の悪いときは「おい」と呼ぶ。今日もまた、そうだった。「ちょっと！」

部屋の壁時計をちらりと見ると、短針が五、それに長針が二十七のところでつかの間の休憩をしている。秒針だけは休み時間もないのに、不平不満も言わずせっせと働いている。

朝じゃなくて夕方だ。呼びだされるのは私にとっての昨日以来だから、今日は金曜日。

真田くんはどこまで『こころ』を読んだだろうか。気になったけれど、今はそれどころではない。素直は「おい」と言いだしそうな顔をしているから。

「何が？」

「何がじゃない」

ぴしゃりと頬をはたくような声音。

エアコンの効きすぎた室内で、素直はふんぞり返るように、ベッドの縁に腰かけている。私はそんな彼女の前に立たされている。宿題を忘れて廊下に出される小学生みたいで、足元がおぼつかない。

素直は自室以外の場所で絶対に私を呼ばない。レプリカといるところを、誰かに見られるわけにはいかないから。

「急に真田に話しかけられた」

あ、と口元を覆う。そういえば報告していなかった。というのも文芸部の活動について、私は素直に詳しい話をしていない。

以前は話していたけれど、次第に素直は報告の時間を面倒だといやがるようになった。

ひとりきりの部室にりっちゃんがやって来たことを伝えたときは、大きな目をさらに見開いて驚いていたのに、りっちゃんが小説を書くこと、小説のあらすじや内容を語っていくうちに、そんなものに興味はないって、つまらなそうに遮っていた。

「扇風機がなんとかって、わけわかんなかったんだけど」

ああ、と私は頭を覆いたくなった。今朝の素直の記憶を辿っていって、扇風機にまつわる一騒動について遅れて知ったのだ。

「隠してたわけじゃないよ。真田くんが文芸部に入ったの」

「真田って、真田秋也？」

「そう。真田秋也くん」

「なんで」

なんでは私も気になる。でも、わざわざ本人に訊こうとは思っていなかった。入部届に、入部理由を記入する欄はない。

それに素直はこう言うけれど、周囲の生徒には、目立つ容姿の素直が文芸部に入っているほうがよっぽど奇異に映っているはずだ。

「理由は分からないけど、文芸部に入部したの。それで部室の扇風機が壊れたから、代わりのやつを持ってくるって言ってくれて」

ありがたいよねと続けようとして、言葉を引っ込める。

私やりっちゃんにとっては嬉しいことでも、素直にとってはそうじゃない。素直は文芸部室に扇風機があるかないかだって知らないし、関心がないのだ。

焦ると、私は、とたんに何を話したらいいか分からなくなる。唇だけが、いつもの一・五倍速くらいで動きだしてしまう。

薄いプロペラが、空回りをする。

「今までの扇風機、すごく古いやつでね。あの、りっちゃんに聞いたんだけど、扇風機って安いやつだと千円くらいで買えるんだって」

「そんなこと知ってる」

ああ、また。

いつもこうだと私は反省する。私は、また、言ってはいけないことを言ってしまったんだ。

素直は、明らかな怒気を孕んだ双眸で私を睨めつけた。

「調子乗らないでよ」

聞きかじった情報をそれっぽく話すのを、素直がいやがると知っている。

私が何を言っても、素直はそんなことは知ってる、と怒りだしてしまう。たとえそれが素直の知らないことで、私が素直は知らないはずと知った上で話したときであっても、怒りを感じてしまうようだ。

「ごめん」

でも、素直。ねぇ素直。

私ほど向上心のあるレプリカはいないよ。本当に。

テストや体力テストでいい点数を取れば素直が喜んでくれるから、私はずっとがんばって、

「もういいから」

冷たく放たれる終わりの言葉。

言い返す前に、私はとぷんと闇の中に溶けていく。

最近の私は素直にうんざりされて、こんな風に消えていくことが多い。

ふと、気がついた。私は素直の笑顔をこの数年間、見た覚えがない。

次に呼ばれたのは三日後。六月二十一日、月曜日。

来週から再来週にかけての五日間は、期末試験が行われる。多くの生徒にとっては面倒なだけの行事でも、私にとっては喜ばしいことがある。

試験が終わるまでほとんど毎日、素直は私を学校に行かせるから。だけどその代わり、試験ではちゃんと結果を出さなくてはいけない。素直が失望しないような結果を。

その日は朝からしとしとと、細い雨が絶え間なく降っていた。灰色の空を暗澹たる気持ちで見上げながら、レインコートの前止めボタンをせっせと留める。

学校指定のクリーム色のレインコートは、上衣とズボンが分かれている。上衣には鼻から下を覆うカバーがついているので、装着すると雨音以外の周囲の音は一気に遠くなる。

重さに耐えきれず落ちてきた空にぺしゃんこに押しつぶされる自分を想像しながら、自転車に跨がった。

ときどき信号機の前でブレーキをかけて、はぁと疲れて息を吐くと、口元のカバーは白く染まる。

レインコートが不人気な理由のひとつにこれがある。水蒸気がこもって、鼻の下にちょびひげみたいな、いやな汗をかいていくのだ。濡れた手を突っ込めないので、レインコートを脱ぐまでは拭えない。誰かに見えないのだけが救いだ。

からからとホイールが回る音も、遠い。

ようやく到着した駐輪場でレインコートを脱いだ瞬間、それまで息を止めていた全身から喜びの声を聞いた気がした。

蒸れた身体をタオルでせっせと拭う。首筋と脇にだけ、控えめに制汗スプレーを吹きつけた。脱ぎ捨てたレインコートは、自転車の上に広げるようにして乾かす。風が吹いても飛ばされないように、端っこをハンドルやキャリアに挟み込んでおいた。

教室に押し込まれたクラスメイトたちはといえば、一様にだるだるっとした顔つきだった。しつこくつきまとう湿り気に誰もがうんざりしているのが見て取れる。

でも私が憂鬱なのは、雨や湿気のせいじゃない。その日の私には心配事があった。

放課後、まばらに空いた席の間をすり抜けて真田くんに話しかけた。

「この前はごめん、真田くん」

彼が顔を上げる。教室に残っている数人の生徒が、一斉にこちらを向いた気がした。針のむしろに立たされたら、今みたいな気分になるのだろうか。

真田くんが立ち上がり、リュックを右肩だけで背負う。くい、と顎が斜めに動いた。

「部室行こう」

試験前でも部室を開けることは、数日前にも話している。

教室を出る真田くんの三歩後ろを、私はついていく。

「それでさっきの。なんの話？」

とぼけているわけではなくて、真田くんは本当によく分からなそうな声色で言う。

でも私は、素直の記憶を持っているから知っている。

「扇風機、せっかく持ってきてくれたのに失礼な態度を取ったでしょう？」

「別に気にしてないけど」

後ろから、真田くんの表情を覗き込む。無表情のままだから本当に気にしていないのか、怒りを抑えてくれているのか、私には判断がつかない。

真田くんが部室のドアを開ける。でもりっちゃんの姿はない。

机の上に「日直ざんす！」と書かれたノートの切れ端だけがあった。わざわざ一度、鍵を開けに寄ってくれたようだ。

そこで私ははっとした。思わず叫んでしまう。

「扇風機！」

生き別れの兄弟と再会したような気持ちだった。私が走り寄ると、扇風機が緩やかにこちらを向いて微笑んだ。

りっちゃんがつけておいたのだろう。回転羽根は楽しげにくるくると回って、清涼な風を惜しげもなく振る舞っている。

床に荷物を置きつつ、真田くんが説明してくれる。

「あのあと一年の教室回って広中見つけたから、鍵開けてもらって運び込んどいた。壊れかけのは、赤井先生に言って粗大ごみで出してもらったし」

いろいろと申し訳なくて、もう何から謝ったものか分からない。

「ごめん。あの、本当にごめんね。あとありがとう」

「どっち？」

「ど、どっちも」

とっちらかってしまった。謝罪したいし、お礼も伝えたかったのだ。

隣同士の席に座る。まだ、お尻が少し落ち着かない。

私は意識して酸素を吸った。二酸化炭素を吐きだしながら、はっきりと言う。

「真田くん。次からは、文芸部室以外の場所で私に話しかけないで」

「は？」

びくりと肩が揺れる。男の子の「は？」は怖い。特に真田くんのは迫力がある。

私が怯えたのに気がついたのか、真田くんが首の後ろに手を当てる。

頬じゃないんだ、と思った。困ったときに頬をかくなら、首に触るのはなんだろう。怒ったとき？

「いや、ちがくて。よく意味わかんないから」

「そうだよね」

当たり前だ。急にこんなことを言われたら、誰だって混乱するだろう。

「なんていうか、私って気分に波があって。高い波とか細い波とか、いろいろ」

じっと見つめられる。吸い込まれそうなくらい黒々とした瞳。目を合わせるのも憚られて、行き場のない視線は窓の外に向かう。

水分をたっぷりと含んだ分厚い雲が、空を覆い隠している。午後になると雨は小雨になったけれど、ぬかるんだグラウンドに、いつものように散らばる運動部員の姿はない。

「真田くんに不快な思いさせたくないんだ」

「別に、高い波を被ったくらいで不機嫌にならない」

優しい言い回し。相手のことを尊重する話し方。

「私が、いやなの。ごめん」

目を細めて見つめられると、穴に入りたくなる。地中を掘り進んで、モグラみたいに。

小学生の頃、通学路にある畑にぽっかりと大きな穴が開いていて、そこから顔を覗かせるモグラを見つけたことがあった。目が合うと、すぐに穴の中に逃げてしまったけれど。

これは素直じゃなくて、私の記憶。素直は、生のモグラを見たことがない。

「だから今度から私に話しかけないで。私から話しかけたときはふつうに話してもらえたら」

口にして、あんまりにも身勝手で自分でも衝撃を受けた。でも見上げた真田くんは怒っているわけではなかった。というのも彼の手は頬をかいていた。

骨張った指がうろうろしている。

「それだと、困る」

「なんで？」

「俺から話しかけたいときはどうすんの」

そんな風に返されるとは思っていなかったから、びっくりした。

じゃあ真田くんは、私に話しかけたいと思ってるってこと？

じわじわと顔が熱くなる。赤くなっていないか心配だったけれど、真田くんの目の前で手鏡は取りだせない。

違う。私が部長だから、話す必要があるだけだ。

変な勘違いをしてはいけない、と自分に言い聞かせる。

「それじゃあ、えっと」

ヘアゴムの持ち合わせがなかったので、両手で髪の毛を摑んで実践してみる。

それっぽく髪型を作る最中、真田くんはこっちを注視している。

「それ、なんていうの」

「これ？　ハーフアップ」

以前、りっちゃんが私の髪を梳かして、こうして結ってくれたことがある。

素直はポニテにすることはあっても、ハーフアップはやらない。だから、髪型で私と素直を判別してもらえると思った。

「似合ってる、と、思う」

ぎこちない褒め言葉に、私の頬は自然と熱くなった。

これではまるで、私が褒め言葉をねだったかのようだ。

じわじわと頬に熱が上ってくる。りっちゃんにかわいいと抱きしめられたときは、照れくさくてもこんな気持ちにはならなかったのに。

「あ、ありがとう。それで話しかけてもらっていい日は、髪をこんな風に結んでくるよ」

薄い唇が声もなく「あっ」の形に動いている。真田くんのほうから目を逸らされた。私は上擦った声で謝る。

「紛らわしくてごめん」

「いや、俺が勝手に」

なんだろう。気まずいような、それでいて、ふわふわした感じ。

「そういえば『こころ』読み終わった？」

強引な話題転換だったかもしれないが、真田くんは乗ってくれた。

「まだ途中。上は読み終わった」

部活中に見かけた印象どおり、真田くんの読書のスピードは私より少し遅いくらいのようだ。

考え込むような面差しをして、皮膚の厚い指のはらでページをめくっていた。

「今日から中」

真田くんが沈黙する。答えそのものではなくて、答え方を考えるような間の空け方。

「特にやらない」

「やらない？」

「やらなくてもいいって言われてる」

誰が、そんなことを言ったのだろう。学校の先生ではなさそうだし、家族の言葉とも思えない。

真田くんの成績について詳しくは知らない。一年のときはクラスが違ったし、彼の名前を聞くのはいつも部活関連の話題のときだった。

「そうなんだ」

気になったけれど深く訊くのはやめておいた。私自身、訊かれたら困ることがたくさんある。

「お疲れ様でーす」

がらがらとドアを開けて、りっちゃんが顔を見せた。「鍵、ありがとね」と言う私にピースサインが返ってくる。なんとなく、真田くんとの会話はそこで途切れた。

向かいに座ったりっちゃんが、バッグを漁り長方形の菓子箱を取りだす。先生にばれると没収されてしまうので、みんな、こっそりといろんなお菓子をバッグの内ポケットに常備している。

「ナオ先輩、プリッツ食べます？」

「食べる！」

りっちゃんが口元に向けてくるプリッツの先端を食む。しょっぱいサラダ味が口の中にじんわりと広がっていくのを堪能する。

もしゃもしゃと頬張りながら、なんとなく視線を投げると、りっちゃんのバッグにはプリッツだけでなくポッキーの箱があった。

疲れると、脳は甘味を求める。ポッキーも非常食のひとつなのだろう。

「真田先輩もどうぞ」

「おう」

真田くんには、さすがにプリッツの入った銀色の袋ごと差しだしている。

三人でのもぐもぐタイムが終わると、私は仕切り直すように呼びかけた。

「さて、勉強しよっか」

教科書や問題集をばらばらとバッグから召喚する私の向かいで、りっちゃんはうへぇとか言って唇を曲げている。

どうやら大好物で餌づけして、私の頭から勉強の二文字を忘れさせる作戦だったらしい。策士、討ち取ったり。

「そうだ、待ってナオ先輩。訊きたいことあるんでした」

「往生際が悪いね。観念なさい」

「いや、本当ですって！　ほら、ダブルかドッペルゲンガー、どっちの名称で行くかまだ決めかねてて」

「なんの話？」

珍しく食いつきのいい真田くんに、りっちゃんが我が意を得たりとばかりに説明する。

「自分が書いてる小説の話です。主人公たちの二つ名が決まらないから、ナオ先輩に相談乗ってもらってて」

「ふぅん」

よく分からなそうに首を傾げた真田くんだったが、神妙な面持ちをする。

「ドッペルゲンガーって、見かけると死ぬんだったよな」

本で読んだことがある。レプリカの生態を知るヒントにならないかと、それらしいタイトルの本をいくつか図書室で手に取ってみたけれど、結局大したことは分からなかった。

ドッペルという単語はドイツ語でコピーという意味を持つ。それと、ドッペルゲンガーの出現は死の前兆としておそれられている。

初めて会ったとき、幼い素直は声も出せず、大きな眼球がこぼれ落ちそうなくらい目を見開いていたっけ。

「『帰ってきた人魚姫』とかは、ハッピーエンドですけどね」

ドッペルゲンガーの目撃情報というのは、世界中でいくつか挙がっている。りっちゃんが口にした『帰ってきた人魚姫』は、その中でもとりわけ有名な話だ。

一九八五年六月、ドイツの北部にてアロイジア・ヤーンという名の若い女性が水難事故により意識不明の重体へと陥った。しかし入院しているはずの彼女が自宅近くの浜辺を歩く姿を、彼女の恋人や友人が目撃したというのだ。

浜辺を歩き回ったアロイジアらしき女性は、何も言わず服を着たまま海へと消えていき、我に返った知人たちが捜索しても見つからなかった。そしてその十六分後に病院から彼らに連絡が入り、アロイジアが意識を取り戻したことが分かったという。

一連の出来事はテレビ番組で実録ミステリーとして何度か取り上げられ、日本でもそれなりに話題となった。不幸を乗り越えてのアロイジアの帰還を奇跡として称える声も多く、彼女はいつからか『帰ってきた人魚姫』と呼ばれるようになった。

しかしドッペルゲンガーらしきアロイジアを目撃したのが彼女の知人に限られていたため、やらせ疑惑が浮上し、テレビ局と知人男性との裁判沙汰にまで発展したらしい。

「本当にやらせなのか、なんとも言えないけどね」

身体と魂が分かたれてしまう現象を、離魂病の一種なのか、離魂病や影の病と呼ぶことがある。たいていの場合は抜け出た魂が肉体に戻ってくれれば、その人物は死なずに助かるとされる。アロイジアに起こった出来事も、そう解釈できるかもしれない。

私たちは、違う。

素直の身体も、魂も、私の出現によって損なわれることはない。

それに素直は大きな病気もしていないし、めったに熱も出さない。頭痛と腹痛には、しょっちゅう苦しんでいる。

じゃあ愛川素直と同じ顔をしたセカンドとはいったい、何者なんだろう。

考えだすと胸が苦しくなる感じがするから、私は思考の行き先に蓋をする。

「わぁ、もっと聞きたいなぁ、ナオ先輩の知恵袋」

両手を組んで目を輝かせるりっちゃんに、私は芝居がかった感じで肩を竦めた。そろそろ骨休めは終わりの時間だ。

「こんなとこ、テストに出ませんから」

「ちぇー」

りっちゃんは唇を尖らせている。

「あ、真田先輩。ナオ先輩すっごく頭いいですよ。わかんないとこあったら訊くのがおすすめ」

「へぇ」

「『へぇ』って、思いっきり読書してるし。むふ、それなら自分も」

「こらこら」

「ぴえーん」

常日頃から持ち歩いている原稿用紙を出そうとするりっちゃんを、私は肩をぽんぽんして止めたのだった。

七月初日から始まった期末試験は、土日を挟んで六日後に終了の日を迎えた。

科目は十一科目。歯ごたえは、まぁまぁ。

「テストどうだった？」

「いとやばしですね」

さすがに試験期間中は部室を開けるのも禁止されていた。先週ぶりに顔を合わせたりっちゃんはアルカイックなスマイルを浮かべている。これ以上触れないでください、の顔だ。

真田くんは普段通りのポーカーフェイスで、テストについての感想は、その顔にはまったく書いていない。

「図書室の本は、遠足には持って行けないよな」

今日は教室中が、再来週に迫る遠足の話で持ちきりだった。

赤点の生徒には補習が義務づけられる。補講の最終日は遠足とかぶっているので、多くの生徒が奮闘していたはずだ。努力が実ったかどうかは、答案用紙が返却されてから明らかになる。

「うん。旅先で汚損したら大変だから」

『こころ』を読み終えた真田くんは別の本を読んでいる。『舞姫』を含む森鷗外の短編をいくつか綴じた文庫本だ。

これも教科書に載っていた作品で、「まじ鷗外クソ野郎じゃね？」と罵ったクラスメイトの呟きが印象に残っていたらしい。『舞姫』に登場する主人公は鷗外本人と同一視されるし、彼が子どもを身籠らせたエリスは、実在する人物をモデルにしているとされる。

まだ『こころ』の感想は聞けていないけれど、彼がすっかり読書にはまっている様子で何よりだった。

「遠足の日は解散時間も早いよね」

「家に帰ってから読めるか」

テスト期間中も、今朝も、休み時間になると真田くんはテストのことなんか忘れてしまったみたいに、ちょくちょく本を取りだしては読書していた。

周囲に人気はなかった。以前、彼の周りにはバスケ部の友人が何人も集まっていたように思うが、そんな光景は五月以降見ていなかった。

五月は、真田くんが右足を怪我して退部した時期と重なる。

「そもそも真田先輩、ぜんぜん勉強してなかったし遠足行けないんじゃないですか？」

後輩から赤点の疑いをかけられた真田くんが肩を竦める。

「授業さえ出てりゃ赤点なんざ取らない」

「かわいくないなー」

りっちゃんがけらけら笑いながら、長机の脇を通って扇風機の目の前に躍り出る。短い髪が、強風モードの風でまあるく膨らんでいる。

「ハアア、イキカエルルルル」

エコーがかった声。

ワレワレハ、ウチュウジンダ。小学生の頃、素直と交互にリビングの扇風機の前で叫んでいた。そんな下らないことでお腹を抱えて、笑い合えていたときがあった。

「一年生の遠足は五月だったっけ」

何気なく口にしてから、五月の話題を出したことは良くなかったのではと思ったが、真田くんの表情の変化は乏しかった。

「はい。川根でSL乗りました」

「大井川鐵道か」

遠足の行き先は先生たちの裁量によって決まる。私たちが一年生の頃の行き先は、掛川花鳥園と掛川城だった。

といっても、私は昨年の遠足に参加していない。素直が参加したからだ。

二年生の遠足は夏休み前々日に行われる。冬にある修学旅行の予行演習のような位置づけで、班決めを意識して動く生徒が多い。

きっと私は、修学旅行にも行けない。

「ＳＬってちょっと現実離れしてるというか、アトラクションみたいな感じですよねー」

思考の海から抜けだすと、りっちゃんの声がよく聞こえる。扇風機から少し顔を遠ざけるだけで、宇宙人の面影は消えてしまう。

「ＳＬの乗客って、通行人を見つけたら手を振るじゃないですか」

「ああ」

真田くんが頷いている。

「あれ、なんでなのかなって。遊園地みたいな謎のノリ。まぁ、自分も振りましたけど」

在来線や新幹線に乗っているとき、知らない人に手を振る人はいない。

ＳＬや遊園地は、日常とは異なる。きっとみんな浮かれている。高揚感がある。目に入る人すべてが、親しい隣人のように見えている。

「幸せのお裾分け、かなあ」

想像してみる。

もしも私が素直のように、ディズニーランドに行ったなら。

「楽しさを分け合ったら、みんな笑顔になれるかもって」

本当は、世界がそんなに優しい形じゃないって誰もが知っている。他人の幸せそうな笑顔を見れば嫉妬して、一方的に憎悪を募らせるような人だっている。

煙を吐き、汽笛を鳴らして走るSLを眺めて、自然と手を振っていた気持ちを失わずにいられるなら、世界から争いなんて消えてしまうはずなのに。

私は、どうだろう。

ビッグサンダー・マウンテンに乗る素直が、待ちぼうけの私に手を振ったなら。

ちゃんと私は、振り返せるのだろうか。

「先輩たちはどこ行くんですか？」

ぼうっとしている間に、話題が移っていたらしい。

私は慌てて、バッグの中のクリアファイルに手を伸ばした。そこに配布された遠足のしおりが挟まっている。素直はほとんど読んでいないようで、どのページにも折り目がついていない。

「はままつフラワーパークと、その隣にある浜松市動物園。あと遊覧船に乗るんだって」

当日は朝八時に学校に集まり、貸切バスで出発する。まずは東名高速道路を経由して、浜名湖畔にあるフラワーパークに向かう。

「三月下旬から、桜とチューリップが見頃を迎えるみたい」

下部に印刷された笑顔のミツバチからふきだしが出ていて、施設のことを紹介してくれている。

「今、七月じゃないですか」

「花フェスタっていうのも六月にやったって」

「今、七月じゃないですか」

だんだん不安になってきた。真田（さなだ）くんがぼそりと言う。

「何かしらは咲（さ）いてるんじゃないか。そうじゃないと閉園してるだろうし」

「そうだよね。で、お弁当を食べたら、お隣（となり）にある浜松市（はままつし）動物園（どうぶつえん）に移動する。ゴールデンライオンタマリンがいるらしいよ」

「黄金のライオン？　かっこよさそう」

「じゃなくて、タマリン。タマリンね」

「タマリンって猿（さる）でしたっけ？」

「そうそう。たてがみみたいな毛が生えた猿（さる）なの」

「想像してみるとおもしろいな」

机に両方の肘（ひじ）をついたりっちゃんが、むふふと笑う。

「最後は浜名湖（はまなこ）遊覧船（ゆうらんせん）」

舘山寺（かんざんじ）の温泉エリアを回るコースらしい。せっかくなら温泉にも行ってみたいけれど、帰りのバスの時間は決まっている。現地解散だったら寄っていけたのに、と女生徒が唇（くちびる）を尖（とが）らせてみせても、担任は軽くあしらうだけだった。

「ナオ先輩、はしゃいで船から落っこちないよう気をつけてくださいね」

「さすがに落っこちないよ。何歳だと思ってるの」

「でも浜名湖って牡蠣が獲れるんですよ」

　私は目を見開く。

「え、ほんとに？　牡蠣？」

「落ち牡蠣っていうんですよー。養殖牡蠣より栄養たっぷりなんだって」

　あれは素直が小学四年生の頃。両親に連れられて海鮮バーベキューに行ったことがあった。素直は前日夜更かしをして、眠たいからと私に代わりを頼んだのだ。

　駅から出る送迎車に乗って、私たちはバーベキュー会場へと向かった。

　今思えば自家用車を使わなかったのは、大人たちがビールを飲むつもりだったからだが、私は知らないにおいのする知らない車が、どこか知らない世界に連れていってくれる気がして、ひとりでわくわくしていた。

　焼津港を望む屋外会場には、いくつもバーベキューセットが置かれていた。友人同士や家族連れで賑わう中、私たちはりっちゃん一家と合流し、シーフードたっぷりの焼きそばを食べた。

　ホタテや海老もおいしかったが、中でも私が気に入ったのが牡蠣だった。

　牡蠣は海のミルクの異名を持つ。お母さんはグロテスクだって言うけれど、私はお父さんと一緒に喉奥につるんと牡蠣を流し込んだ。鼻先から口の中まで、丸ごと磯に包まれたみたいな気分だった。

あの頃から、いつか牡蠣を自力で獲りたいというのが私のささやかな夢となったのだ。

「道具って借りられるのかな？」

そわそわしている私に、りっちゃんが眼鏡の奥の目を見開く。

「まさかナオ先輩、潜って牡蠣を獲ると？」

「もちろんだよ。本気だから止めないでね」

「誰が止めるものですか。その覚悟に敬意を払いましょう」

夏服の袖をまくる私を感極まったように見つめて、りっちゃんが敬礼をする。

「ちなみに獲れるのは冬ですけどね」

「今って冬だっけ？」

「わりと夏かな」

「ふぐっ」

変な音がした。

りっちゃんと一緒に目を向けると、俯いた真田くんの肩が揺れている。

片手で口元を覆っている。もしかして、笑ってる？

「さっきから、なんかおもしろくて」

顔を上げた真田くんが喉の奥で笑っている。りっちゃんにぎゅっと手を握られ、猫なで声で名前を呼ばれる。

「ナオせんぱぁい、自分たちおもしろいんですって」

「そ、そうなのかな」

「一緒に世界目指しましょう」

それもいいかも。

「コンビ名はなんにする？」

「牡蠣とYシャツと律子」

「私はどこ行ったの？」

次は「ふは」と真田くんが噴きだした。意外と笑い上戸なのかもしれない。

彼の笑いが収まってきたところで、遠足のしおりを見ていたりっちゃんが言う。

「そういえば浜名湖パルパルは行かないんですね。けっこう近いのに」

「あー」

真田くんが遠い目をしている。その目の奥には、ジェットコースターではしゃぐ幼い真田くんの姿が映っているのだろうか。

そう思って、なんとなく、そうじゃないような気がした。

「私、行ったことないな」

素直もないはず。子ども会で素直とりっちゃんが行ったのは、山梨県の富士急ハイランドだ。

「あそこは園内のキャラクターを、かの有名なやなせたかし氏がデザインしてるんですよ」

「アンパンマンの？」

「そうそう。じゃあ今度一緒に行きましょうよ」

反応が一瞬、遅れる。

「まぁ、けっこう子ども向けな感じですけどね」

早口でりっちゃんが付け足す。申し訳なく思いながら、もつれかけた舌を転がす。

言わなきゃ良かったとは、思ってほしくなかった。

「いいね。行こう」

りっちゃんが目尻を下げて「ですです」としきりに頷く。

久しぶりの集まりだったからか、その日の部活は雑談の時間となった。こんな感じで、文芸部の活動はいつだってゆるゆるなのだ。

午後六時が近づいてきたところで、三人で職員室に鍵を返しに行く。りっちゃんが返却を請け負ってくれたので、職員室の外で待つ間、私と真田くんはこんな会話をした。

「遠足、楽しみだね」

「話しかけていい？」

「ハーフアップだったら」

「オーケー」

試験期間中も、今日も、私の髪型はずっとハーフアップだ。お母さんが捨てる予定だったかわいらしい水色のシュシュが、頭の後ろを彩っている。

そう。

私は、自覚していなかった。素直の代わりとしてときどき生きることを課せられただけの、レプリカでありながら。

愛川素直とセカンドを別の存在として見てもらえることに、そのときの私は喜びを見いだしていたのだ。

もしかしたら、その罰なのかも。

次に素直に呼びだされたとき、そう思った。

夏休み前の最後の登校日。それが、次に私が浮上した日だった。

遠足は昨日、終わっていた。梅雨明けしたおかげで気温が三十度近くまで上昇し、遠足の最中に何人か体調を崩した生徒がいたようだ。

今日、素直は生理痛がひどくて私を呼んだ。私が共有する素直の記憶は、淡々と事実が羅列された小説を読み解くようなものだから、彼女自身の痛みや感情が明け透けに伝わってくるわけではないけれど。

それが耐えがたいほどの苦痛であることを私も知っている。長期休暇前の浮かれた気分を味わうためだけの一日をレプリカに投げてしまうほどに、素直は辛かったのだ。

布団の中の青白い素直を見下ろしながら、私はぷちぷちと音を立てて、制服の前ボタンを留めていく。

「遠足、どうだった？」

「は？」

真田くんの「は？」より、私には素直の「は？」が怖い。

次の瞬間には消されてしまうかもしれない。心配に思いつつ、訊かずにいられなかった。

せめて楽しんでいてくれたら。

たくさん遊んで、笑って、青春の一ページと呼ぶに相応しい時間であったなら。

それだったらいい。そうだったら、いい。

そんな私の身勝手な期待は、素直には関係ないと知っているのに。

「大したことなかった。暑かったし」

じゃあ、私に行かせてくれたら良かったのに。

私は、素直への非難めいた感情を覚えていた。

「なに？」

「なんでもない」

肩がゆっくりと垂れ下がる。

「行きたかったな」

水面に波紋を散らすことのない呟きだけが漏れた。素直には聞こえなかったようだった。

登校しても、教室では昨日の遠足の話で盛り上がる声ばかりが聞こえて居たたまれなかった。スマホで共有した写真の話。遊覧船に寄ってきたカモメの話。トイレ休憩で置き去りにされかけたお調子者のクラスメイトの話。帰りのバスで見たグロテスクな映画の話。

いいな。羨ましいな。

だって私は、行けなかった。

溜め息を吐いていると、彼の姿が目に入った。

誰とも話さず、手元の文庫本に真剣な眼差しを落としている。

本を読んでいると私はだんだんと猫背になってしまうのに、彼の場合は背中に板でも入れているように姿勢がきれいだ。

未だに教室では、ほとんど真田くんと話したことがない。扇風機の件で謝罪した日以来、一緒に部活に向かうこともなかった。

私は喉に込み上げる唾をこくりと呑み込んで、教室の右端に向かった。後ろから集まる視線を気にしないよう、自分に言い聞かせる。

「おはよう」

秒針が二歩先に進んだところで、真田くんが顔を上げて私を見た。

表情に驚きはない。見るからに太い親指を、ページの間にしおり代わりに挟んでいる。夏目漱石に比べて森鷗外は読みにくいようで、ページの進み具合はちょっと遅めだ。

「おはよ」

「遠足、楽しかったね」

思ってもないことを口にするのには、エネルギーが要る。

彼から、うん、という頷きが返ってきたら、もっと傷つくと分かっているのに、そう仕向ける自分は馬鹿だとも思う。

「俺はそうでもない」

あるいは私は、期待していたのだろうか。彼がそんな風に返してくれることを。

「話せなかったから」

「誰と？」

「ハーフアップの誰かさんと」

真田くんの目が私を捉える。

その気配を感じていたから、伏せた顔をしばらく上げられなかった。

とくとくと、鼓動が鳴る。速すぎない。でも、いつもと違う弾んだ音。

真田くんと話すと、たまに、私の心臓は様子がおかしくなる。

「今日はハーフアップだな」

「うん」

「じゃあ、二人で行く？」

私は顔を上げた。

気がつけば真田くんは本を閉じていた。

「遠足」

言葉に光が宿るなら、私はそのとき、星を見ていたのかもしれない。

「行く！」

細かいことはなんにも考えずに、私は頷いていた。

短いホームルームのあと。騒ぎながらぞろぞろと廊下に出るクラスメイトの間をすり抜け、私と真田くんはそれぞれトイレへと向かった。

点呼なんて行わないから、捜されたりはしないはず。目論みは実を結び、おしゃべりの声や足音が聞こえなくなってから二人で教室に戻ると、荷物を手にする。

「荷物、少ないな」

「お互いにね」

お弁当も教科書も入っていない。中身はせいぜい財布、スマホ、ポーチくらいだ。真田くんの大きなリュックも、今日はへなっと萎んでいるように見える。

しばらく待つ。三分、五分。一限開始のチャイムが鳴り渡ると同時、二人で後ろ扉からそうっと、誰もいない廊下を見つめた。

学校中が嘘のように静まり返っていた。生徒も先生もみんな体育館に向かっているから、それは、当たり前なんだけれど。

その瞬間、私はもう、やばい、と叫びたいくらいに興奮していた。きらきらと日の光に照らされて埃の粒が舞う廊下が美しくすら見えて、端から端まで駆け抜けたいと思った。

授業をサボるなんて、ずる休みするなんて、生まれて初めてのことだ。今頃、本来の私は素直の代わりに、硬い床に体育座りをしていたはずなのに。

ずっと素直の振りをして、周りを欺いていた。でも今日の私は、そうじゃない。

私は、今、私だ。

「どこ行くか」

背中に翼が生えて、どこまでだってくるくると飛んでいけるような。

そんな気分が霧散したのは、靴を履き替えていたときの何気ない一言がきっかけだった。

近所の公園でどろんこ遊びをする子どもじゃあるまいし、当然、町中で遊ぶにはお金がかかるのだ。完全に失念していた。

懺悔する罪人のような心持ちで、真田くんに明かす。

「遊ぶお金持ってない」

素直の財布にはいつでも三千円が入っているけれど、これは素直のお金だ。許可もなく使えない。

「俺、出すけど」

「それは駄目だよ」

お金の貸し借りだけはしちゃいけません、とお母さんに耳にたこができるほど言われてきた。ましてや奢ってもらうなんてもってのほかだ。

焦った末に、頭に閃きが浮かぶ。そういえば、私は五十円玉貯金をしているのだ。今こそ貯め続けてきた貯金を解放すべきときではないか。

「ちょっと待ってて。家からお金持ってくる」

真田くんは焼津駅から電車とバスで通学している。だから家に戻るなら、ひとりでだ。

「今から？　愛川、家どこだっけ」

「用宗駅の近く。全力で行けば、一時間で戻ってこられるから」

本当は、どんなに早くても片道三十五分だから、正しくは一時間十分。素直に気づかれずにお金を回収する時間を考えれば、もっとかかる。

でも私はそう言い切った。今はふわふわと夢心地でも、時間が経てば真田くんは心変わりしてしまうかもしれない。それが、怖かった。

ＳＬの車窓から手を振れば、誰だって笑顔で振り返してくれる。だけどいつまでも手を振ってくれるわけじゃない。夢のような数秒間が過ぎ去れば、手を下ろして日常へと戻っていく。

真田くんも、戻ってしまうかもしれない。

「なら、俺も一緒に行く。友達の自転車借りればいいし」

しばらく、なんと言われたのか理解できなかった。

「いつも鍵さしっぱだから」

「え、あ、友達いたんだ」

我に返ったときには、言葉はとっくに放たれたあとだった。

顔を引きつらせる私に、真田くんがきょとんとしてから、片方の口角を上げる。なんだか楽しそうだ。

「少ないけど一応」

「でも、あの、足は大丈夫？」

自転車を漕ぐときに負担がかかるかもしれない。

「へーき」

短く言ってのけて彼が向かったのは、隣のクラスの駐輪場スペースだった。

その背中を見ながら、私も自分の自転車の元に向かう。スカイブルーで塗装された車体。あまりに早すぎる帰りに、不思議そうにしているサドルを撫でる。

自転車を引いていくと、目が合った真田くんがぶすっとしていた。居心地悪そうに友人のものだという自転車に跨がっている。大柄の真田くんが乗っていると、クッションに小さな穴が開いたサドルは小さく見える。

「すげぇ鬼ハンに改造してた」

「鬼ハン？」

初めて聞く単語だ。

「鬼ハンドル。ハンドルの位置いじってる」

言われてみると、真田くんの乗った自転車のハンドルは天に向いていた。私のや他の自転車と、位置がまったく違う。

「どうやってやるの？」

「六角レンチとかで」

道具の名前を聞いても、実際にどうやってハンドルの位置を変えるのか想像がつかない。

あまりにも真田くんが不機嫌そうなので、何か言わなくてはと思った。

「でも乗りやすそうだよ。真田くん、座高高いから」

「馬鹿にしてんな」

地面を左足で蹴って近づいてきた真田くんに、軽く額を小突かれた。

痛くはなかったけれど、びっくりした。男の子と、こんなに近づいた経験はなかった。

素直なら驚かなかっただろう。でも素直には、こんな風にはしてほしくない。

「ち、違うの。足が短いってことじゃないよ」

真田くんは足のほうがずっと長い。足が長い分、座高も人一倍あるので、鬼ハンという独特のハンドルが摑みやすそうだったのだ。

「小学生の頃は、座高が高いってすごいことだと思ってたし」

必死に言いつくろう私を、真田くんはハンドルの間から見ている。

「愛川も高かった？」

「まぁ、そう、だね」

りっちゃんよりも高いよ、すごいでしょ、と自慢していたのが懐かしい。そんなの自慢にならないのに。

ふぅんと相槌を打った真田くんが、まじまじと私の上から下を見る。

「今も？」

「もういいから行こう！」

話題を遮る私に、にやにやしている。恥ずかしい思い出を披露したことに満足したのか、真田くんの機嫌は直ったようだ。

「安全運転でな」

「うん」

私が先導し、むわりとした炎天下を二人で突き進む。

たいてい夕暮れの中を走り抜ける道を、日射しの強い午前中に通るというだけで特別な気がする。すっからかんのバッグは強い風が吹いたら、頼りなく宙に舞ってしまいそうだった。

ハンドルを強く握り締める。心臓のあたりが、アスファルトに負けないくらいに激しく燃え上がっている。

六段変速のギアをいちばん重くしたって、今ならいくらでもペダルを踏めそうだ。

「学校サボるの、初めて」

私の告白に、真田くんが頰を緩める。

「俺も」

表情筋が普段より活発に動くのは、彼も二人きりの遠足に浮き足立っているからかもしれない。

燦々と輝く太陽にいじめられながら、いろんな話をした。

「どこ行くか」

どこでもいい。心底、どこでも良かった。どこだって嬉しいから。

でも、どこでもいいなんでもいいというのは、どうでもいいと同一視されてしまう言葉である。よくお父さんはそれでお母さんの反感を買っている。明日の夕飯なにがいい？　なんでもいい。これで全部あちゃー、だ。

でも私は、高校生が普段遊ぶような場所をよく知らない。素直はたまに友達と遊びに行くけれど、行き先は映画館、カラオケ、ボウリング場、チェーンのレストランなど。

そのどれも、きっと楽しい。

でも遠足のしおりを見たときから、ずっと行ってみたい場所があった。

「動物園。……あ」

呟いてから、提案の愚かしさを自覚して恥ずかしくなった。真田くんにとっては、昨日行ったばかりの場所だ。

「じゃなくて、えっと」

「いいよ」

抵抗なく、耳元にすぅっと入ってくる声。最初は、お父さんのものより低い声を怖いと思っていた。

「いいじゃん、動物園」

今は、ちっともそう思わない。

静岡大橋を乗り越えたところで、真田くんは「俺、用宗駅で待ってるよ」と言った。家の位置を知らないほうがいいと気遣ってくれたのだろう。

私は真田くんに家を知られてもなんとも思わない。ただ素直も同じように思うかは分からないので、黙って頷いた。

ひとりになった私は、自転車を家の窓からは見えない位置に停めた。

日陰に入る頃には、大量の汗で身体と制服がぺっとりとくっついている。

足取りがふらふらする。こめかみに、脇に、背中に。胸の上を滑らかに流れ落ちていく汗の感触。

普段は使用を控えている制汗スプレーを、その日だけは惜しげもなく全身に振りかける。ローズの香りが、ピンク色の煙になって漂ったみたいだった。

髪を結び直して、唾を呑み込んだ私は、慎重に玄関の鍵を開ける。

わずかな隙間から顔だけを入れて家の中を覗き込んでも、人の気配はなかった。玄関には雨の日用の素直の長靴だけが出ている。

体調の悪いとき、たいてい素直は部屋に籠もっている。部屋を出るのは手洗いのときと、食事をとるときだけ。食事も朝昼兼用で十二時くらいに食べる。今はまだ九時十五分だから、二度寝しているはず。

寄り道は避けるべきかもしれないけれど、一度キッチンに立ち寄って水分補給をした。汗っかきのコップを逆さまにして、喉を潤す。氷がからりと揺れる音だけで、身体の芯が冷えていくような感じがした。

ここからが正念場だ。キッチンを出て、四つん這いになって階段を上っていく。この体勢がいちばん音を殺せる。時間はかかるけれど確実な方法だ。

家の中で何をしてるんだろうと気恥ずかしく思う気持ちと共に、ここは私の家じゃないのだという事実が目の前にぶわりと浮かび上がってきた。

私は、なんだか、泥棒みたい。

今、考えるべきことじゃない。そう言い聞かせても、手足が震えた。

違和感を覚えて目をやると、右手に蜘蛛の巣が引っかかっていた。力任せに振り払って、先へと進む。

廊下の戸棚で、目当てのものはすぐに見つけた。ディズニー缶と、二重にしたスーパーの袋。持ち上げるそのとき、心臓はばくばくと壊れそうなくらい騒ぎ立てていたが、ついぞ素直の部屋のドアが開くことはなかった。

想像していたよりずっしりと重い缶と袋を、持ってきていたバッグの中に詰め、抱きかかえるようにして階段を下りていく。泥棒というより忍者だ。そう思い込むことで、筋肉を縮こまらせる冷たい感覚を追い払おうと努力する。

玄関から脱出するまで、ほとんど生きた心地がしなかった。

気を取り直して用宗駅へと自転車を走らせると、長細い駐輪場の入り口付近で真田くんがスマホをいじっていた。

桜の木に背中を預けている。生い茂った枝葉のおかげで木陰ができていた。待たせてごめんと謝るつもりだったのに、私に気がついた真田くんはびっくりした顔をしている。

視線の先は、自転車の前かごだった。

「すげえ、重そう」

「うん。重い」

率直に私は認めた。だって、本当に、重いのだ。

無理やりチャックは閉めたけれど、十分前と裏腹にバッグはぱんぱんに膨れている。

開いてみせると、五十円玉だらけの中身を見てますます真田くんは驚いていた。

私は米俵のようなバッグを持ってどこにでも行く覚悟だったけれど、彼の指先が駅と反対方向を指差す。

「あそこに信金あるから、寄っていこう」

どうして銀行に寄るのかはよく分からなかったが、私は頷きを返した。

「一回、預金するけどいい？」

私がとりあえず頷くたび、なんでか真田くんのほうが不安そうな顔をする。

駐輪場で自転車のスタンドを立てている間に、真田くんが私の荷物をよっこらせと持ち上げている。

「持ててるから平気だよ」

「いいって。でも、よく運んできたな」

感心したように口にして、真田くんが先に入店してしまう。私は慌てて背中を追った。

初めて入った銀行は冷房が効きすぎていた。全身の汗から解放される最初の三秒は天国だったけれど、四秒目からは冷凍庫の中に放り込まれたみたいだった。

入ってすぐにATMが三台並んでいる。真田くんはATMには見向きもせず、併設された窓口のほうに向かう。高校生がやって来たからか、受付のお姉さんは物珍しげだ。やはり寒すぎるようで、制服の上に薄手のカーディガンを羽織っている。

「在高入金お願いします」

ありだかにゅうきん。渡された紙に真田くんが素早くペンを走らせ、青い通帳と一緒に提出する。通帳を持ち歩く高校生がいるんだ、と私は変なところに感心した。

愛川セカンドなんて名義の通帳は、この世のどこにもない。

「では、硬貨をお預かりしますね」

真田くんが私のほうを見る。カウンターに置いたバッグを開けろ、ということだろう。

バッグを開けた私は、そこで重要なことに気がついた。さすがに、錆びついたディズニー缶ごと渡すわけにはいかない。

私は缶の中身をスーパーの袋に移そうとしたが、見透かされたように「そのままで結構です」と言われてしまう。顔を赤くして缶と袋を預けると、お姉さんは顔色ひとつ変えずに丸ごと奥に持っていった。

すると奥側から、急にジャラジャラと大きな音が聞こえてきたので私は目を白黒とさせた。

なんだろう。一斉に硬貨を流すような音。それと一緒に、機械が休みなく動いている音がする。

「現代の小豆洗い？」

私の小さな呟きが耳に届いたらしい。真田くんがおかしそうに笑った。

帰ってきたお姉さんは、空っぽのカンカンだけ手にしている。

「缶はどうされますか」

素直は、この缶のことなんて覚えていないだろう。

「えっと、持ち帰ります」

でも素直のものを私が勝手に捨てるわけにはいかない。家に帰ったら、戸棚に戻しておこう。

袋のほうは処分してもらうことになった。真田くんと顔を見合わせる。

「俺の口座に全額入れてもらったから、すぐに引きだそう」

きょとんとする私に、ばつが悪そうに頬をかいている。

「ごめん。両替だと手数料かかるから、そのほうがいいかと思って」

ようやく在高入金と、あの音の意味が分かった気がした。お金を真田くんの口座に入れてから、紙幣にして引きだすということだろう。

「謝らないで。ありがとう」

私が重そうにしていたから、真田くんは気遣ってくれたのだ。

さっそくATMに向かう。真田くんは通帳を開き、ATMに吸い込ませていった。

結論から言おう。

十九万八千七百五十円。それが小学一年生の頃から高校二年生にかけて、私が貯めたお金の合計額だった。

学生にとっては、間違いなく大金だ。真田くんに渡された全財産を、私はバッグの内ポケットに仕舞い込んで半分だけチャックをした。

数十枚の紙幣と硬貨。あんまりにも軽くて羽みたいだから、銀行員さんにちょろまかされてないかな、なんてちょっぴり不安になった。

「ちょろまかされてないから安心して」

小豆洗いの次は、妖怪さとり？

「俺が銀行員だったら、万年金欠の学生からお金を奪ったりはしない」

先ほど面倒を見てくれた受付のお姉さんが、物言いたげにこちらを見ている。

「い、行こう」

慌てて促せば、真田くんが笑いながらついてくる。

「でさ、日本平動物園」

「え？」

「日本平動物園行きの直通バス、東静岡駅から出てるって」

にほんだいらどうぶつえん、と口内で繰り返す。

幼稚園児の頃、素直が家族で出かけた場所だ。小さな遊園地と合体した動物園で、数年前に大規模なリニューアル工事を行ってから人気が増した。

東静岡駅は静岡駅の隣の駅で、用宗駅から電車で十分くらい。

「そこでもいい？」

木陰で見ていたのは動物園へのアクセス方法だったのだろう。

動物園に行きたいと言った私の夢を、真田くんは叶えようとしてくれている。それだけで、胸の中を黄色い旋風が吹き抜けたような気がした。

「いいよ。ぜんぜんいい。ぜんぜんいい」

ぜんぜんいい。ぜんぜんサイコー。

改札前の券売機で私は往復切符を買って、真田くんはＩＣカードを通す。ホームではそれぞれ、自動販売機で五百ミリのペットボトルを買った。

私は爽健美茶、真田くんは麦茶。

ぴっ、と自販機が短く鳴いた音さえも、愛おしいと思った。

東海道本線。グレーにオレンジのラインが入った電車が、茹だるホームに入ってきた。

段差を飛び越える片足が、どこまでも飛んでいけそう。

薄く冷房の効いた車内は生き返る心地がする。席はがら空きだった。同じ車両には腰の曲がったおばあさんに、新聞を読むおじいさんに、居眠りをする大学生くらいの男性の姿だけがある。無敵のヴェールを身につけた私たちは、空いた席に並んで座る。

示し合わせたわけではないけれど、同じようなタイミングでペットボトルの蓋を開ける。ごくごく、と男らしい喉仏を上下させる真田くんは、半分くらいの量を飲んだようだった。

喉を潤すと、再びスマホを操作している。

「時間通りに電車が着けば、五分後にバスが来る。それに乗ればいいな」

「すごいね。手慣れてるね」

真田くんの動きが止まる。

また、言い方を間違えたかもしれない。どう言い直せばちゃんと伝わるだろう。

「違うの。ただ、すごいなと思って」

ボギャブラリーが貧困なのが恨めしい。私はまったく、文芸部の部長らしくないのだ。

がたんごとん、と車体が揺れる。横にぐんと長い車窓。景色が流れる速度は、私が自転車で走るよりもずっと速いはずなのに、ひとつひとつの家の形や、店の看板が、当たり前みたいに目に入ってくる。

線路脇をのろりと進むベビーカー。サンシェードが被せられていて、赤ちゃんの顔までは見えなかった。

「女子と二人で出かけるとか、初めてだから」

車窓から視線を外し、隣を見る。

手すりを摑んだ彼は明後日のほうを見ている。黒髪から覗く耳は、赤い色。

こっちを向く汗ばんだうなじを、つついてみたいと思った。

今日も真田くんから石けんの香りがする。近づいたら、きっと汗のほうが強くなる。

「私も、男の子と出かけるなんて、初めて」

お返しのようにそぅっと囁いた吐息さえ、色づいているような気がした。

授業をサボったのも、鬼ハンを知ったのも、銀行に入ったのも、東静岡駅行きの切符を買ったのだって、ぜんぶ初めてだ。

照れくさくて、うまく喋れなくなった。本当は『こころ』の話でもしたいと思っていたのに、それどころではなくなってしまう。

電車がゆっくりと速度を落としていく。流れる景色はスローモーションになり、目的の駅にはあっという間に着いた。

南口の階段を下りるとクマのマークのバス停がすぐ目に入る。手招きされているみたいで胸が高鳴った。

「バス、あっちに来てるな」

軽く指差して真田くんが言う。

車体にたくさんの動物マークが描かれたグリーンのバスが、颯爽とこちらに向かってくる。

私は運転手さんに手を振りたいような気持ちを、我慢しなくてはならなかった。

私たち以外に、バスに乗ったのは親子連れ一組だけだった。平日の午前中なのでこんなものだろうか。

発車時刻を迎え、アナウンスを響かせながら出発。見慣れない景色の中をバスはゆったりと走って行く。

二人がけの席だと、身体が大きい真田くんの膝と、私の膝はすぐにぶつかる。

私は気がつかない振りをして、窓の外を見ている。

「知らないお店がいっぱいだね」

「もしかしてマック知らない感じですか？」

「馬鹿にしてんなー」

前髪の奥で待ち構えている額を小突いてやった。耐えかねたように真田くんが笑う。

甘やかにしびれた人差し指を左手で包んで隠し、私はすまし顔を作った。彼は、類い稀なる石頭の持ち主のようだ。

バスが停車すると、三歳くらいの男の子がいの一番に飛び降りた。危なっかしい足取りを、若いお母さんが追いかける。

チケット売り場に向かう彼らの後ろを、私たちは距離を空けてついていく。

「真田くんは、ここ来たことある？」

少しだけ間があった。

「あるっちゃある」

変な答え方だ。

以前、女の子と遊びに来て、それを伏せておきたいとか？

そう思ったけれどさっき、女の子と二人きりで出かけたことはないと言っていた。あの言葉は嘘だとは思えない。

「そっちは？」

「うーん、ない、かな」

正しくは、素直にはある。私には一度もない。

親子連れが通ったあとのチケット売り場は閑散としていた。

一般（高校生以上）は六百二十円。二本指を立てた真田くんが、チケット売り場のスタッフに話しかける。制服姿でも気にされている様子はない。周りの学校は夏休みを迎えているところもあるからだろう。私たちの高校も、今日は終業式と成績表の配布のみで午前中解散だ。

「一般二枚お願いします」

内ポケットを漁る私を、真田くんがちらと見下ろす。

「払うよ」

「大丈夫！　十九万七千八百五十円あるから！」

往復の電車賃で四百円、飲み物代で百五十円。バス代で三百五十円が消えていったって、今の私に払えないものはあんまりない。扇風機だっていくらでも買える。

「そういうこと、あんまり大声で言わないように」

「分かった。もう言わない」

それぞれ紙幣と硬貨を、青いトレーの上に置く。

引き換えに受け取った二人分のチケットには、違う動物の写真が使われている。レッサーパンダとシロフクロウ。

「どっちがいい？」

「レッサーパンダ！」

このチケット、今後は栞代わりに使おう。そうしたら本をめくるたび、私は今日のことを鮮明に思いだせる。

チケット売り場のお姉さんは微笑ましげに「行ってらっしゃいませ」と見送ってくれる。微笑の温度からして恋人同士だと間違われたのかもしれない。訊ねられたわけではないので、否定もできない。

隣をさりげなく見上げると、真田くんは平然としている。ちょっとだけ悔しい。

エントランスゲートを抜けたところで、園内スタッフのお姉さんがどこからともなく現れた。

「こんにちはー」

こんにちは、と挨拶を返す。今日、私はいろんな笑顔のお姉さんと出会っている。

「日本平動物園にようこそ。記念撮影はいかがですか？」

「記念撮影？」

聞き返すと、にっこりと返ってくるプロフェッショナルな営業スマイル。

「動物のかぶりものをつけ、パネルの前で記念のお写真を撮影しています。現像した写真は小さいものは無料で、台紙サイズのものは有料で販売しています」

真田くんのほうを見ると、いやそうな顔をしていた。私は深く悩んだ末に答えた。

「ぜひお願いします！」

荷物置きにバッグとリュックを預ける間も、真田くんは渋い顔をしていたが、私がはしゃいでいるからか一言もいやだとは言わなかった。

彼の優しさにつけこんで、私はかぶりもの選びに没頭している。

「どうしよう。どっちにしようかな」

首を右に左に振る私に、真田くんが迷いなく言い切る。

「こっちのほうが似合う」

鶴の一声。

私はレッサーパンダのかぶりもの。真田くんはシロクマのかぶりものに決定した。

頭にすっぽりと帽子を被る。この仕事が長いのか、やや縮れ気味のレッサーパンダの毛に耳元まで包まれる。

　真田くんも観念したようにシロクマの頭を装着している。見ていたら、からかわずにはいられなかった。

「かわいいよー」

「うるせえ」

　しかめっ面の上に、獰猛さとは無縁のきゅるんと丸い黒目のシロクマ。目が合って、あははと声を上げて笑ってしまった。

　撮影用のパネルにはシロクマ、レッサーパンダ、ワオキツネザルがコミカルなイラストで描かれている。日本平動物園のイチオシは、シロクマとレッサーのようだ。

　私と真田くんはパネルを背にして立った。武骨な黒いカメラを構えたお姉さんが、にこにこしながら手を振ってくれる。声をかけてくれた人とは別の茶髪のお姉さん。

「はい、笑ってくださーい。お姉さんいい笑顔！　あっ、お兄さん、もう少し笑えますかー？」

「あ、はい」

　真田くんのぎこちない返事。そっちを見なくてもどんな顔か想像がついて、ふふふと口元がにやついてしまう。

「お二人とも、もっと近づいてくださーい」

笑っている余裕がなくなった。ぎこちなく距離を詰める私と真田くんを、お姉さんは「もっともっとー」と煽ってくる。

ああ。制汗スプレー、もっと吹きつけておけば良かった。

「いちたすいちはー?」

「レッサー、パンダー!」

事前に教えられた通りの台詞と共に、両手を顔の横で構える。これは「がおー」のポーズらしい。

こんな恥ずかしいポーズ、真田くんは絶対にしてくれないだろうと思ったけれど、予想とは正反対にしっかりポーズを取ってくれていた。「レッサーパンダー!」の声も私より大きかった。やり直すほうが恥ずかしいと早々に察し、開き直っていたのかもしれない。

無料の小さな写真から見せてもらう。ただの写真ではなく新聞記事のようになっていて、「珍獣、発見!」の見出しが大きく躍っている。写真に写る私と真田くんこそが新種の生物であるとして、事細やかな説明文が入っている。

おもしろいけれどモノクロなので、真田くんの顔色が分からない。絶対にカラーの写真も必要だ。

「台紙つきのほうは、一枚千円になりますがいかがで」

「買います!」

今日の私は大金持ち。ほしいものは躊躇わず、ほしいと手を挙げるのだ。

現像された写真を見れば思った通り赤い顔をひくひく引きつらせた真田くんと、こちらは予想外に真っ赤っかのにやける私が写っていた。うわぁ！

台紙に入れた写真をぎこちなく受け取る私を、真田くんは口を半開きにして見ている。

とんでもなく恥ずかしい代物をゲットしたのはいいけれど、家には飾れる場所がない。そうなると。

「部室に飾ろう」

「それは」真田くんは、小骨が喉に引っ掛かったみたいな顔をする。「どうなんだろう」

「いや？」

「いやではないけど」どうなんだろう、とまた首を傾げている。おかしくて、私はくすくすと笑ってしまう。

スタート地点を離れると、まず一棟の建物が目に飛び込んできた。

看板を見るに、建物の名称はそのまんま、レッサーパンダ館というそうだ。

屋外と室内に展示場があるらしい。ほほう、と思いながら視線を巡らせたところで、遠目に丸い姿を発見した。

「見て！　レッサーパンダ！　本物！」

樹木や四阿のある屋外展示場の一角に、小さな人だかりができている。お客たちの目線の先で、愛くるしい生き物が太い木の枝の上を歩いていた。

白い耳、お面みたいな縁取りがされた顔、くりくりの黒い目。

フォルムはとにかく丸々としている。しましま模様の尻尾は、すっごく長くて太い。あと爪が鋭い！

「うわあああ」

かわいい。本当にかわいい。ぬいぐるみみたい。

一頭のレッサーパンダは、目を輝かせて騒ぐ子どもたちを一瞥し、何事もなかったように透明なパイプの中を渡っていく。とことこ、てくてく。

その先は屋内の展示場に繋がっているようだ。ぞろぞろと集団がついていく。全員の目にハートマークが浮かんでいる。私もそちらを追おうとしたのだが、

「あ！　こっちにもいる！」

なんと、レッサーパンダは一頭ではなかったのだ。

日に当たるのを嫌ったのか、四阿で転がっている。目を閉じて、ぐでんとお腹を見せて寝ているレッサーパンダ。

「寝ててもかわいいー」

もはや何をしていてもレッサーはかわいいのだ。寝ても、食べても、うんちしても……。

「子どもみてえ」

横の真田くんが呟く。

「ね。かわいいけど、大人なのかな」

なぜかこっちを見てくる。なんで？

「写真とか撮らねえの？」

「うん。いいの」

スマホは持っているけれど、これは私のじゃない。素直のスマホを借りているだけ。

素直は、中学三年生の春休みにスマホを買ってもらった。私がねだってもせがんでも触らせてくれなかった。

だけど私が身代わりをしていたとき、クラスメイトに連絡先を訊かれて困ったことになった。

それ以来、素直は渋々だが私にスマホを持たせるようになったのだ。

素直の人差し指に反応して、画面が表示されるスマートフォン。

私の人差し指にも、当たり前のように反応するスマートフォン。

「目に焼きつけておくからね」

「どんだけ好きなんだよ」

どうでもいいことを話すのは楽しい。

目の前でレッサーパンダがころころ転がっていると、もっと楽しい。

「一生ここにいたいな」

もう私はレッサーたちの傍を離れたくない。片時だって。

ゲートでもらった園内マップに、真田くんは目を落としている。

「いいのか。隣にペンギン館あるけど」

「えっ」

「シロクマもいる」

「シロクマ！」

動物園ったら、なんて誘惑の多い場所なのか。

「最後にもう一回、レッサーパンダ見に来てもいい？」

「いいよ」

私は断腸の思いでその場を離れる決意をした。大丈夫、レッサーは逃げない。

そのあとはペンギン館に、は虫類や夜行性の動物の展示を回る。

外から見た感じの印象より園内はずっと広くて、見逃したところがあるんじゃないかと、ときどき振り返って確認した。そうすると真田くんが目敏く気がついて「どうした？」と声をかけてくれるものだから、なんでもないと答える声音は何度か震えてしまう。

真田くんは、ぶっきらぼうだけど優しい。

しばらく歩き回って疲れた私たちは、三角屋根のレストハウスで遅めのお昼休憩を取ることにした。

例に漏れずここも空いている。二つのテーブルをくっつけて笑う子どもたちには見覚えがあった。ふれあい動物園でモルモットを撫でていた子たちだ。

私と真田くんはひよこを触った。触ったというか、両手の上に山のように乗ってきた。特に真田くんは大人気で、ひよこたちは先を争うようにして彼の大きな手の上を目指し、他の仲間たちを蹴っ飛ばしては遠慮なく駆け上がっていた。

係員のお姉さんが「ひよこが怪我をしてしまうので」と散らし、最終的には二羽のひよこだけが真田くんの手の上で勝利のひとときを過ごしていた。

「お兄さん、ひよこのベッドを作ってあげてくださいねー」

「分かりました」

お姉さんに指示を出された真田くんは、とびきり真面目な顔で頷いていた。

両手をそうっと丸める真田くんの体温を全身に感じて、ひよこたちは安心したように眠っていた。絵に描いたような爆睡ぶりだ。

「あったけえ」

真田くんの口角は緩みまくりだった。かわいい光景を写真に残せなかったことを悔しく思いつつ、私しか見られなかったことを、心のどこかで嬉しくも感じた。

私は、ベッドで眠ったことがない。ひよこたちが羨ましかったことは、彼にも内緒だ。

「なんにする？」

食券機の横の壁に、大きく印刷されたメニュー表が貼ってある。

「名物はしろくまカレーだって。あとカピバラのビーフシチュー。シチューに浸かってる様子が、温泉に入ってるカピバラっぽいんだな」

もう助けて！

「駄目。かわいすぎて食べられない。しょうゆラーメンにする」

「じゃあ俺はしろくまカレーにするかな」

「私はカピバラ！」

誘惑に抗いきれず、私はカピバラビーフシチュー、真田くんはしろくまカレーを注文する。

味はまずまず。見た目は超絶キュート。

手洗いに寄ったあと、真田くんを捜して周囲を見回していると、ベンチに腰かけた彼を見つけた。

「真田くん」

丸まっていた背中が身動ぐ。すぐに真田くんは姿勢を正したけれど、伸ばした手は右足首の付け根あたりに触れていたようだった。

「足、痛むの？」

「へーき」

平坦な声色。不自然なほどに。

「ごめん。調子乗って付き合わせちゃった」

隣に座って謝ると、真田くんが頰をかく。

「俺が付き合いたかったから」

こんなときにも真田くんは、怒るどころか困ってしまう人なのだ。

胸の真ん中が疼くような感触がした。もっと他に、言うべきことがあるような。

「訊いてもいい？」

無言のまま、真田くんが目を向けてくる。

「先輩にひどいことされたって、本当？」

静かに目を見開いたのは、私がずっとそのことに触れなかったからだろうか。

「傷つけられたのは、俺じゃないから」

どういう意味、だろう。

それ以上訊けなかったのは、踏み込む勇気が足りなかったからだ。

私が黙り込んだ理由を誤解したのか、真田くんが言う。

「まだ、回り切れてないだろ」

俯けていた顔を上げると、真田くんの手には園内マップが握られていた。何事もなかったような顔だった。

フラミンゴのドーム。オランウータンの館。シロクマにだってまだ会えていない。

真田くんは痛みを堪えて私の願いを叶えようとしている。

どうしてこんなに、優しくしてくれるのだろう。

「もうじゅうぶんだよ。そろそろ帰ろう」

「レッサーパンダの二回目は？」

「覚えててくれたの」

「あんなにはしゃいでたら、忘れない」

見たい。

見たいけれど、でも、我が儘を言って彼を苦しませるのは絶対にいやだ。

「ううん。帰ろう」

「レッサーパンダの傍、離れたくないって言っただろ」

言ったよ。

言ったけれど、でも、それは正しくない。

だって本当に、私が離れたくなかったのは。

「また来ればいいじゃない」

真田くんが口の動きを止めた。

私の言葉に驚いたのだろうか。それとも、情けなく震える声に気がついたのだろうか。

泣きたくなんてなかった。私は泣かない。

レプリカは、命じられてもいないのに泣いたりしない。

「ね。また、来ようよ」

笑みを浮かべて、私は手を差しだした。

たぶん、口元は引きつっていたと思う。目の端っこには涙になろうとする粒がにじんでいて、息を吸うと鼻はすんっと鳴いて、眉毛は顔の中心に、ぎゅうっと寄っていた。

「連れてきてくれてありがとう。こんなに楽しい日、生まれて初めて」

ああ、これだ。

胸が落ち着く。私は、ずっと、彼にこれが言いたかった。

ひとりじゃ、学校をサボるなんて思いつかなかった。私はいつも素直の身代わりとして存在しているから。

でも真田くんが、遠い場所まで連れだしてくれた。

最寄り駅どころか静岡駅を越えて、東静岡駅まで行っちゃって、バスに乗って、私は動物園に来られた。

動物園だけじゃない。本当は私、どこにだって行けるんだ。

それを教えてくれた人に、お礼を伝えたかった。

私の気持ちは伝わったらしい。真田くんは目を逸らしかけて、頭に手を伸ばしかけて、頬のあたりをうろうろして、それから。

わざとらしく、にやりと笑ってみせた。

「こちらこそ」

何それ、と私は破顔した。

初めて握った真田くんの手は、想像したよりもずっと大きかった。皮が分厚くて、骨張っていて、温かかった。

私の記憶が素直に伝わらなくて、本当に良かった。

この温かなひとときを、私は、私と彼以外の誰とも、分け合いたくはなかったから。

元来た道を逆戻り。

再び直通バスと電車のお世話になって、最寄り駅まで二人で戻ってきた。

時刻は午後五時。この時間になると暑さは少しずつ和らいで、風も涼しく感じる。

友人に自転車を返すため、真田くんはいったん学校方面に戻るという。友人は終業式のあと、徒歩十五分の家に歩いて帰ったそうで、家まで届けにこいと言われたらしい。

握ったままだった手を、思いだしたように、どちらからともなく離した。

「じゃ、行ってくる」

真田くんは自転車に跨がった。だいぶ鬼ハンがサマになってきている。

「うん、行ってらっしゃい」

ばいばいでも、さよならでもなくて、行ってきますを言う真田くんを私は見送る。

慣れない場所で待ちくたびれていた自転車を引いて、私も帰路につく。銀行の前を通るだけで顔がほころぶ私は、昨日までと何かが違う。

ずっと私は、自分だけの何かがほしかった。

十九万八千七百五十円は、今は十九万五千三百七十円に生まれ変わった。縋りつくように集めた五十円玉は、けして無駄ではなかったのだ。

今日という日のために私はお風呂掃除をして、洗濯物を畳んで、廊下に掃除機をかけていたのだ。

ちゃんと地面に足がついているか不安になる。こんなに舞い上がっていると、風船になって空を飛んでいってしまうかもしれない。

それでもいいかも。

だけどまた、動物園に行きたい。

動物園以外にも、行ってみたい。

私の歩く速さに合わせてからからと笑う自転車は、私の脳天気さを楽しんでいるみたい。

弾むように開いた玄関には、パジャマ姿の素直が立っていた。

「素直？」

私は、ただいまを言ったことがない。誰も答えてくれないと知っているから。

こんな風に素直が玄関前で私を出迎えたことは、今まで一度もなかった。でも素直の顔を見れば、私におかえりを言うためにたった今、部屋を出てきたとは思えなかった。数時間も前から、そこに立ち尽くしていたようにも見えた。

危ないよ素直。もしも今、お母さんたちが帰ってきたら大変なことになる。そう言おうとしたけれど、うまく声が出なかった。

やっぱり、ただいまも言えない。ローファーを履いた私を見下ろす素直は、裸足だった。素直の足は親指より人差し指が長い。もちろん私も。

「学校サボったでしょ」

どうして、知っているのだろう。

「りっちゃんから家電に連絡あったの」

私の疑問を先回りして、素直が言う。

私と真田くんが体育館にいないから、どうしたのかと心配したのだろう。

大事な後輩。素直の友達。

「ごめん」

謝る私に、素直は下唇を噛む。

私には判断がつかない。それはどういう表情だろう。私は一度も、その顔をしたことがない。

同じ顔。同じ身体つき。同じ声をしていて。

セカンドにとってのオリジナル、愛川素直。

「もうやめて」

やめて？

何を？

「お願いだから、私の人生を生きさせて」

素直は何を言ってるの？

「私を返して。お願いだから」

「やめてよ！」

哀願するような声を遮った。最後まで言わせちゃいけないと思った。

手足が震える。わななく唇で、どうにか言葉を紡ぐ。

「私は取ってない。一個も取ってないよ」

私は素直から、一度だって何かを奪ったことなんてない。

朝昼夕のごはん。三時のおやつ。脂物を控えるようお医者さんに言われているお父さんから、奪い取ったからあげの味。お母さんの腕に抱きしめられて眠る時間。

だって私は、最初から何も持っていなかった。素直から奪えるものなんて、なにひとつとしてなかった。

素直とは違う。私にはなんにもない！

「私が何をしたっていうの」

「いるだけで、いやなの」

いるだけで？

でも素直が私を呼ぶじゃない。素直が私を使うんじゃない！

それなのに素直は、部屋に勝手に住み着いたゴキブリを見るような目で、私を。

「ただのレプリカのくせに」

冷え切った鉛のように、心臓にのしかかる言葉。

全身が切り裂かれるよりも痛い言葉は、素直にとってはただの事実でしかないのだろう。

レプリカのくせに。レプリカのくせに。レプリカのくせに。

私は愛川素直にはなれない。

そんなこと、私には分かっている。

素直にだって、分かっているはずだ。

「お前なんか消えちゃえ」

「素直」

「二度と出てくるな」

「すな」

いつもみたいに。

自分が弾(はじ)けた音がした。

閑話　彼女のいない、夏休み。

夏休みを迎えてから。

かち、かち、と秒針が規則的にときを刻む音が、もっと速くなればいいのに、と何度思ったことだろう。

読み終わった文庫本をそっと閉じて、椅子の背もたれに寄りかかると、凝った腕を組んで天井に伸ばした。目頭をぐっと押さえて、はぁとぬるい息を吐く。

真田に読書の習慣はなかったが、もうすっかり、本を開くのは癖のようになっている。スマホに触るよりも、テレビを観るよりも、ラジオを聴くよりも、眠るよりも、本を読んでいたい。

指先がページを繰っている間は、物語の世界に没頭していられるからだ。他の何かでは、計算ではない行間が空いてしまう。不揃いな隙間ができてしまって、余計なことを考えずにはいられなくなる。

役立たずのスマホは、枕の横に置きっぱなしだ。

「連絡先、聞いとけば良かった」

がしがしと頭をかく。文芸部には、夏休みの活動なんてないことを失念していた。共通の友人もいないので、連絡を取る手段はまるで思いつかない。

長い夏休み、読み終わった三冊目の本は宮沢賢治の短編集だ。

表題作は『銀河鉄道の夜』。ジョバンニとカムパネルラが、銀河を巡る不思議な汽車の旅をする。どこか悲しくて美しい、親友との別れが綴られたお話。

ぼくはカムパネルラの行った方を知っていますぼくはカムパネルラといっしょに歩いていたのですと云おうとしましたがもうのどがつまって何とも云えませんでした。

それまで意識とは切り離していたはずだったのに、その一文を読んだ瞬間、彼女の顔が鮮明に頭に浮かんでいた。

思い返すのは、文芸部に入部した翌日の出来事だった。

「なぁ、昨日の扇風機の件だけど」

と声をかけても、しばらく返事はなかった。

きっかり五秒が経ってから、再び口を開く。次は、ちゃんと名前を口にすることにした。

「愛川、ちょっといいか」

スマホをいじっていた横顔がぴくりと身動ぎし、だるそうにこちらを見上げる。

「は？」

不機嫌そうな吐息と共に、細い眉毛がにわかに額の中心に寄った。大きな瞳が煩わしげに細められていく様子を、少し呆気に取られて見つめる。

頬をかく。困ったときの真田の癖だった。夢の中でも困った事態になると、眠っている間に頬をかくから、真田の爪はいつも短く切り揃えられている。ゾンビに襲われたとき、家族が空飛ぶ車で去っていったとき、やっぱり鮫に襲われたとき。

これからも、そんなときのために短いままだろう。バスケ部だから、繊細な手先の感覚が必要だから、爪が短いわけじゃない。決して。

「だから、昨日の扇風機のことなんだけどさ」

同じようなことを繰り返してみる。だが、返事は素っ気なかった。

「昨日の扇風機ってなに」

揃って上を向いた睫毛も、突きだした下唇も、警戒心ばかりが強い獰猛な獣のようだ。

なぜ、こうも攻撃的なのだろう。なぜ、知らない人を見るような目を向けられているのだろう。さっぱり理解できないから、困惑はより深まった。

今朝、親に車を出してもらい扇風機を運んできたので、部室の鍵を借りようと思っただけだった。まだ読み始めたばかりの『こころ』の感想も、少しだけ伝えられたらいいなと、頭の中で言葉を無造作にまとめていた最中だったから、拍子抜けしたような、どこか裏切られたような気持ちになる。

今日はよっぽど機嫌が悪いのか。女子にはそういう日がある、と知識として知ってはいる。触らぬ神に祟りなし、ということわざが脳裏に泡のように浮かび上がるが、その泡を打ち消すようにして、昨日の彼女が思い浮かぶ。

愛川素直が文芸部員であると、真田は知らなかった。真田が知る素直は、教室で退屈そうに髪をいじっているか、開け放たれた体育館の両開きの扉に、半身をぺったりとくっつけるみたいにして、バスケ部の練習を見学している少女でしかなかった。

けれど文芸部室で会った素直は、どこかぼんやりとしていた。困ったように微笑んだ顔も印象に残っている。そのくせ、バスケ部を辞めた真田に集まる好奇の目をぶった切るみたいに、ぴしゃりと職員室の戸を閉めたかと思えば、遊園地に来たみたいな顔をして、軽やかな足取りで図書室の隅っこを歩いていた……。

「なんなの」

はっとした。素直の声には、明らかな苛立ちがにじんでいた。

愛川素直という少女は、真田とは異なる意味で目立つのだ。クラスで悪目立ちするのは避けたくて、「悪い、なんでもない」と謝って教室を出ることにした。

出てすぐ、後ろ扉の真横では、行き場のない扇風機が待ち構えている。こちらの首尾を窺うように見上げられても、生ぬるい溜め息を吐くしかなかった。

別に感謝してほしい、というわけではなかった。もともと自分から、不用な扇風機が家にあると言いだしただけなのだ。

だが昨日の素直は、柔らかな声で礼を言い、まるで神さまに祈るように丁寧に頭を下げていた。

形のいい後頭部から、長い髪がするすると細い肩を流れていって、その華奢な身体つきにようやく気がついた。一部のバスケ部員が彼女の視線を意識するあまり、シュートを外しまくって怒鳴られていたのを思いだして、なんともいえない気持ちになった。真田は彼女がいようがいまいが、お構いなしにシュートを決めていたけれど。

あのとき自分は、呆れたようにこう呟いたのだ。

「日替わり定食みたいな女」

同じ一言を口にして、少しおかしくなったけれど、笑みは緩やかに口の端に沈んでいった。

二人で動物園に行ったあの日、生まれて初めて、と囁いた、つやつやとしたピンク色の唇を思いだした。泣きだしそうに歪み、引きつった頬や、涙の粒を抱きしめた長い睫毛に、触れてみたいと思ったことも。

生まれて初めて。

大袈裟なことを、大事そうに、噛み締めるみたいに言う。

握った手は温かく、子どもみたいに頼りなくて小さかった。力を入れたら壊れてしまいそうで、肩と二の腕のあたりを緩めるのに馬鹿みたいに躍起になっていた。大量の手汗だって、悟られていたに違いない。

あれから一度も会えていない。別れ際、行ってらっしゃいと微笑んでいたのに。

「だからか」

今さらになって、本の一文に引っ掛かった理由に思い当たる。街のほうへ走っていくジョバンニの背中を見送りながら、置き去りにされたような心地になったのは、ジョバンニとカムパネルラの別れに納得していなかったからだ。

目を閉じると、ぼんやりと浮かぶ。

ハーフアップの髪をした少女は、まだそこに立ち尽くしているような気がしている。追いかけたら逃げ水のように見失ってしまいそうで、遠く離れた場所から、見つめることしかできずにいる。

「頼むから、夏休みなんてさっさと終わってくれ」

途方に暮れたような気持ちで呟き、ベッドに寝転がる。

約束のない夏祭りも花火大会も、すべて雨で中止になればいい。海にはクラゲが大量発生して、遊泳禁止になってしまえばいい。

どこかの家の窓に吊るされた風鈴が、ちりりん、と安っぽい音を奏でる。まるで賽銭箱の上で揺れる本坪鈴が、願いを聞き届けたかのように。

だが何度も願ったにもかかわらず、夏休みが終わってからも彼女は戻ってこなかった。

愛川素直という名前の少女は登校している。けれど髪型はハーフアップではない。あの日の約束を思えば、話しかけるのはどうしても気が引けた。

否、そうではない。

自分でも、うっすら気がついている。頬杖をついてつまらなそうにグラウンドを眺める横顔に話しかけても、意味はないのだと。


文芸部の部室は、急に、広くなったような気がした。

「来ないな」

「ナオ先輩は、毎日は来ないんですよ」

律子は物わかりのいい顔をして、そんな風に言ってのける。そういうときの律子は後輩のくせして、幼子に言い聞かせる母親のような口調になるので、どうにも具合が悪い。

けれど律子に諭されても、そんな風には割り切れない。毎日、硬いものが喉奥を通り抜けようとして、呑み込めずに口の中で持て余すような日々が続く。

赤井先生が名古屋旅行の土産だと部室に置いていったカエルまんじゅうは、もうすぐ賞味期限が切れてしまう。

いつしか登校しては、祈るように窓際の席を見つめる自分に気がついていた。

ぼくはカムパネルラの行った方を知っていますぼくはカムパネルラといっしょに歩いていた

のですと云おうとしましたがもうのどがつまって何とも云えませんでした。

怖くて仕方なかった。

ハーフアップの誰かさんに、もう二度と、会えないような気がして。

第3話　レプリカは、泣いている。

次に私が呼ばれたのは、一か月以上が経ってのことだった。

夏休みはとっくに終わっていた。蝉はたくさん死んでいた。道ばたに落っこちた乾いた蝉の抜け殻が、ヨークシャーテリアの小さなあんよに踏み潰されていた。

日射しはまだ暑く、夏の名残が幅を利かせているようだった。

消える瞬間、もう二度と、素直に呼ばれないかもしれないと思った。それくらい素直の怒りはすさまじいものだったから。

でも久しぶりに見る素直は、なんだか後ろめたそうな顔をしていた。私にとって数秒前までは、金切り声を上げて怒鳴っていたのに。

今さらのように実感する。

私が止まっていた間も素直の時間は途切れることなく流れて、進んでいる。その間に素直はいろんなことを思い、考えを巡らせて、私の前で神妙な表情を作るという結論に落ち着いたのだろう。怒りは持続されず、なんらかの形で消化されたのだ。私の知らない間に。

最後に見たときより、私の肌は日に焼けている。

今日も私の身体はきちんと素直に更新されている。だけど心はいつも、置き去りになっている気がする。

もはや、これは記憶と呼ぶべきものじゃないのかもしれない。私にとっては記録なのだ。私は素直が経験したことを、読書するように後追いで知るだけ。愛川素直が主人公の物語には、レプリカの影も形もない。

素直に呼ばれた私は、今日も学校に行く支度をする。

動物園で撮影した二枚の写真は、折れ曲がらないように透明なクリアファイルに挟んでいる。

素直は夏休み前のあの日、知らないものだらけのバッグを漁ってそれらを見つけ、紙袋にまとめて保管していてくれた。お金も全額、味気ない茶封筒に入れられていた。

動物園の入場チケットだけは、捨てられてしまった。ディズニー缶も一緒にごみ箱に入れられていた。お母さんに缶は資源ごみでしょと叱られたようだ。やたら鮮明な記憶だから、訊ねるまでもなく理解していた。

今朝、部屋を出た私を、素直は珍しく追ってきた。

「真田と付き合ってるの？」

「ううん」

違うよ。

だって素直は、真田くんと付き合ってないでしょう。その言葉は、口にできなかった。

素直が不安に感じていたこと。素直が恐怖を覚えたこと。今なら私にも理解できる。

でも最初から怯える理由はない。

だって素直。

レプリカは、きっと、恋なんてしないんでしょう。

たった一日、空を羽ばたけても、次の日は地面に足先さえ着かないのでしょう。

私は教室に入るなり、誰に向けるでもなくおはようを言う。いくつか返事がある。毒にも薬にもならない微笑みの横を、波間に揺蕩うように通り過ぎていく。

窓際の席につくと、教科書やノート、筆記用具を順々に取りだした。

昨年、夏休み明けの授業はどうしても緩みがちで、先生たちは億劫そうで、生徒はもっと億劫そうにしていた。

真面目に席についている生徒は半数ほどで、残り半数はだらだら、ごろごろ、ぐでぐで。眠ってばかりのレッサーパンダに似通った怠惰っぷりを見せつけていたのに、今日のクラスメイトたちはずっと元気で、レッサーはどこにも見当たらなかった。

喧噪に耳を傾けてみても、もう誰も夏休みの話なんかしていない。私は逃げだしたいような気持ちを、奥歯を噛み締めて耐えなければならなかった。

また、教室のドアが開く。

入ってきた人物を見て、ようやく私は息が吸えた。

真田くんは対照的に、私を見て息を呑んだようだった。

私の目を見たまま、真田くんが向かってくる。自分の席に荷物を置くこともせず、一本道でそうするようにまっすぐ突き進んできて、口を開いた。

何も言わないまま閉じて、開ける。私は真田くんのおかげで呼吸ができていたけれど、彼は酸素を求めてあえぐ魚のようだった。

どこか苦しそうに見えて、話しかけずにいられなかった。

「おはよう」

なんでもない朝の挨拶。でも真田くんは低く掠れた声で、別のことを口にした。

「髪型」

「え？」

ぱちぱちと瞬きをしてから、私は、照れたような笑みを浮かべた。

「ごめん。まだハーフアップにしてなかった」

いつも教室につくなり髪を結ぶようにしていた。今日はそこまで気が回っていなかったのだ。

机に鏡を置き、手櫛で髪を整えていく。背中に垂れる髪をシュシュで結わえながら、あれ、と思う。

ハーフアップじゃなかったのに、どうして。

「愛川じゃないのか？」

浮かび上がる疑問に、声が重なる。

質問を発したのは、机の横でそれまで黙り込んでいた真田くんだった。

「え？」

意味も意図も明確に理解できないまま、私は横を向いて聞き返すことしかできなかった。すべてを見透かしてしまいそうな、吸い込んでしまいそうな。

きれいな黒目の中に、ぽかんとした私が映っている。

彼は注意深く一字一句を発音したから、私は、聞きそびれた振りさえできなかった。

「お前は、愛川素直じゃ、ないのか？」

私は教室を飛びだしていた。

廊下は走っちゃいけません。そんなの小学生の頃から知っている。決まり事を破って、登校する生徒と逆方向へと廊下を突っ切り、上靴のまま人気のない裏庭へと踏み込む。

どうしてばれたの？　なんで？

確かに私は、素直と見分けてもらうために髪型を変えた。だけど今まで誰も言い当てたりはしなかった。

ほんものとおんなじに見えるのに、ほんものじゃない。

ニセモノの私は誰にも、気づかれてはいけなかったのに。

制服の上から胸をおさえる。ばくばくと不規則に弾む心臓の音に、目の前が明滅する。

喉がぎゅうと、引き絞られたみたいに痛む。

「ここじゃないどこかに行きたい」

あの日、電車に乗ってどこにでも行けると思っていた。

でもそれは、どこなのだろう。

赤や白、ピンクのコスモスが咲く裏庭を、ふらふらと歩いていく。

家。あれは素直の家だ。お母さんの胸の中も、お父さんの手のひらも。

着ている制服も、きれいだと褒められる艶のある髪の毛も、目も鼻も唇だって。

私のじゃない。

愛川素直じゃない私は、どこにも行けない。

「愛川！」

勢いよく引っ張られた。

肘かどこかの関節が、ぽきっと鳴る。その音が聞こえたのか、臆するように引っ込んでしまった血管の浮いた手は、真田くんの顔へと繋がっていた。

見上げると、息の荒い真田くんがくしゃっと丸められたティッシュペーパーのような顔をしていた。

逃げなかったのは、呼ぶ声に逡巡があったからだった。彼は何かに迷いながらも、私を追いかけてきた。

「痛かった？」

「大丈夫だよ」

ちっとも痛くはなかった。私よりも真田くんのほうが痛そうに見えるくらいだ。

また右足を痛めてしまったかもしれない。私のせいで。

「泣きそうな顔してるけど」

頬に手を当てた。

濡れていない。目尻も、目頭も平然としている。涙なんか私は流していない。人間の振りをするだけのレプリカは、勝手に泣いたりしない。

「泣いてないよ」

「ハーフアップじゃん」

どこか咎めるような口調だった。

「なんで逃げんの」

「逃げてない」

決めつける真田くんに、こちらも喧嘩腰になってしまう。

真田くんはなおも何かを言いかけたが、唇を引き結ぶと首の後ろに手を当てた。

「ごめん。追い詰めたかったわけじゃなくて」

ちらりと、その目がベンチを見る。

「座ろう」

真田くんは、青いペンキが剥げかけたベンチに腰を下ろす。

ひとつの予感があった私は、その横におずおずと座った。ひとり分くらいを空けたから、隣とはいえないかもしれない。

私が座ったとたん重いと言いたげに、ぎっ、と鳴き声を上げた後ろ脚がひどく恨めしい。

そのとき、出会った頃から感じていた違和感の正体に思い当たった。

真田くんは、いつも静かだ。

音を立てないように、摩擦を起こさないように、ひっそりと教室の隅っこで息をしている。だからドアを開けたとき、椅子を引いたとき、ベンチに腰かけたとき、世界はこんなにも静かで穏やかなままなのだ。なんにも、色を変えないままなのだ。

ひときわ丁寧な手つきで、この人は自分以外のものに触れる。動物園に行った日、私の手を握った手もおんなじ。だから隣にいると、愛おしさで胸がいっぱいになってしまう。

日当たりのいいベンチに強い風が吹く。

「俺も、おんなじなんだよ」

風に揺れるコスモスの群れを眺める横顔が、軋む。

横顔は張り詰めた薄い氷のようで、少しでも触れたら、ばらばらに壊れてしまいそうだった。

触れてはいけない。見なかった振りをして離れなければ。

そうしなければ安寧はない。私にも彼にも。

そう悟ったのに離れられなかったのは、そのときの彼が、寂しそうに見えたからだ。

本当はずっと前から、おかしいと思っていた。

真田秋也はバスケ部の部員だった。

ボールがバウンドする音も、バッシュが擦れる音も、パスを要求する声も、ぶつけ合う拳も、観客の歓声も、静寂とはほど遠い。

栄光の過去から距離を置きたがっている。彼自身が、過去を踏襲する気がないから。

傷つけられたのは俺じゃない、と言った人。

試験勉強なんてやらなくていいと言った人。

日本平動物園に行った覚えは、あるっちゃある、と言った人。

目の前にいる彼は、真田秋也ではあり得ないのだと。

「もっと早く死ぬべきだのになぜ今まで生きていたのだろう」

なんでそんなことを言うの。

問おうとして、口を閉ざす。Kの遺書に書かれていた言葉だ。夏目漱石の『こころ』。

「どうしてKは死んだんだろう」

他の文豪たちの、学者の、読者の、いろいろな所感や仮説がある。

授業でも問題を出された。どうしてKは自殺したのか、一緒に考えてみましょう。

失恋してショックだったから。友人に裏切られて人間不信になったから。自分自身が道を外してしまったから。本当に、ひとりぼっちになってしまったから。

それらしい説を立ててみることはできる。それらしい説明をすることだって。

でも正しい答えは誰(だれ)にも分からない。「先生」にも、「私」にも、もしかしたら「K」本人にだって。

もっと早く死ぬべきだのになぜ今まで生きていたのだろう。

私は一度だって、素直(すなお)を傷つけたいとは思わなかったのに。

それでもたぶん、私は。

「動物園」

強張(こわば)っていた横顔が、私のほうを向く。

「明日、動物園に行けるなら、私は死にたくない」

素直(すなお)をまた傷つけるとしても、譲(ゆず)れない。

「レッサーパンダ、まじで好きだな」

呆(あき)れたように笑う顔が、くすぐったかった。

「君も、本当にそうなの？」

分かっている。これは、墓穴(ぼけつ)を掘(ほ)る問いだと。

それでも知りたいと思った。

目の前にいるその人のことが、私は知りたかった。

数秒の沈黙(ちんもく)があった。両耳の中に、ばくばくと脈打つ心臓がのさばっている気がした。

やがて彼は、こっちを見て柔(やわ)らかく答えた。

「うん。俺も、真田秋也じゃないよ」

愛川、とは呼ばれなかった。

私も、目の前の男の子を二度と真田くんと呼ぶことはないだろう。

「そっか」

隠し通していた秘密。決して誰にも悟られてはいけない私の正体。

全部どうでもいい。どうにだってなってしまえ。

私は、歯を見せて口にしていた。

「私も、愛川素直じゃないよ」

事実を舌の上に乗せるのは、意外にも苦ではなかった。

むしろ、安堵していたのかもしれない。続く言葉はすんなりと出てきた。

「私は素直のレプリカなんだ」

「レプリカ？」

聞き慣れない言葉だったのか、彼が繰り返す。

厳密に、なんと呼ぶべきかは分からない。ドッペルゲンガーではなく、離魂病でもない、模造品の自分について。

「私たちはそう呼んでる。素直は、私をセカンドと名づけた」

「秋也は、俺のことを二世って呼ぶ」

私は胸に手を当てて、彼の顔を見上げた。

「二世くんって呼べばいい？」

「それは少し、いやだな」

苦笑する彼に、心の底から同意する。

「私もいや。君にセカンドだなんて呼ばれたくはないから」

「愛川も、ひどい名前をつける」

「真田くんだってそう。二番目ってなに。何様のつもりで」

喉を押さえた。汚い言葉が、堰を切ったように飛びだしてしまいそうでおそろしかった。

セカンドなんて名前、大嫌いだった。名案だとばかりに名づけた素直の丸い頬を、ぶちたいくらいだった。私が私だということを認めてくれない素直が憎くて、苦しかった。ずっと。

「小学生の頃はよく考えてたの。どんな名前だったらいいだろうって」

「小学生の頃？」

彼は驚いた顔をする。もしかしてと思った。

「真田くんがレプリカを作りだせるようになったのって、いつ？」

「今年の六月だな。退院して、初めて学校に行こうとした日の朝。そっちは？」

「素直が小二の頃。きっかけは、りっちゃんと喧嘩したから」

同じレプリカでも、生まれてからの年月にはかなりの差があるようだ。

「広中と愛川って、そんな長い付き合いなんだ」

「子ども会で知り合ってからの仲だよ」

「へぇ」

なぜか彼は変なところに感心していた。

「生まれてすぐの頃、素直は私のことをナオって呼んでた。でもあるときから、私にナオはあげられないって」

「自分がお酢になっちゃうから？」

皮肉を利かせる彼に、くすりと私は笑う。

あながち間違いじゃない。素直は、素の自分しか残らなくなるのを厭ったのだ。

「私はオでも良かったんだけど」

「灰かぶりじゃなく、スナまみれの愛川素直」

結局、素直は自分のものを私になんにも分け与えないことに決めた。だからセカンドという名前を与えた。

セカンド。二番目。一番目がいるからこそ、存在できるものとして。

「俺もナオって呼ぼうかな。広中がそう呼んでるの、ちょっと羨ましかったから」

窺うように、こっちをちらりと見る目。私は素直じゃない唇を尖らせて、いいよと言った。

今まで自分の名前を密かに思案してきたけれど、どれも釈然としなかった。でもナオ、と呼ばれるのは、わりとしっくり来るのだ。

「じゃあ私は君を、なんて呼ぼう」

「……秋」

「アキくん？」

そう、と導く目が優しい。

アキくん。目の前にいる彼は、真田アキくん。

すとん、と胸に落ちてくる感じ。しっくりと収まる感じ。

その日から私と彼は、ナオとアキになった。


「アキくんと真田くんは、六月から入れ替わってたの？」

改めて問いかけると、アキくんが頷く。

足首の骨折以外にも怪我をしていた真田くんは入院し、三週間近く学校を休んでいた。

そのあと現れた真田くんは、真田くん本人ではなくアキくんだった。その頃から歩き方は変化していた。左足に体重をかけて、右足はほとんど地面とは会わせないようにしていた。

「足を怪我してから、秋也は一度も外に出てないから」

「リハビリとかは？」

「しばらくリハビリすれば、日常生活には支障ないって主治医の先生は。でも退院してから病院には通ってない。骨の折れ方が複雑で、バスケに復帰するには半年かかるって言われたんだ」

　想像するしかないけれど、半年という時間はバスケに打ち込んでいた真田くんにとって、あまりに長すぎたのではないだろうか。

　インターハイ予選。エースを失ったバスケ部。

　決勝戦の結果は惨敗。夏は終わり、三年生は引退した。

　空を眺めるアキくんの横顔を、そっと見つめた。

「秋也のことを嫌いになりたかった。でもどうしても憎めない」

　分かる気がした。

　いや、たぶん彼の気持ちは私にしか分からない。同じレプリカの私にしか。

　私も素直のことが、嫌いになりたかった。

　嫌いだと思う部分もある。だけど、心の底から憎んだり恨んだりはしていない。

　素直のおかげで私はいる。たくさんのものを見られた。身代わりとして見つめただけの景色だとしても、私にとっては特別だった。

「秋也はかわいそうな奴だと思う。足をつぶされて、バスケができなくなって。学校に行く気力がなくなった。胸の中が、空洞みたいになっちゃったんだ」

　息が詰まった。全身の血が抜けていってしまったような気がする。

聞き間違えたりはしなかった。足をつぶされて、とアキくんは言ったのだ。

「真田くんは、バスケが好きだったんだよね」

分かったようなことしか言えない自分が、悔しい。

「いちばんうまくできたのがバスケだったんだ。うまくやれば周りに褒められるから、朝早くから夜遅くまで練習してた。バスケというより、部活自体が好きだったのかも」

アキくんが俯く。

「だから、もうすぐ俺も」

「え？」

聞き返したけれど、話はそれきりだというように彼は言葉を止めてしまった。

だから、もうすぐ俺も。

続きを問い質さなかったことを、私は後悔することになる。

秘密を共有してから。

私と彼の日々は、一秒も目を閉じていたら分からないくらいの些細な変化を迎えていた。

素直に呼ばれると、私は自転車を漕ぐ。からからから。

教室で髪をハーフアップにまとめる手つきは、ずいぶんとサマになってきた。

授業を受け、お弁当を食べて、午後はうとうとして、放課後になると二人で部室に向かう。図書室で二人分の本を探す。ぱらぱらぱら。ページの間に挟まった埃っぽい空気を、肺いっぱいに吸い込む。

りっちゃんが書いた小説を読み、感想を言う。彼の鋭い意見にりっちゃんが舌を巻く。彼は正式に副部長として就任していた。

暑さが和らぎ、枝に刺さっていた蟬の抜け殻も姿を消してきた頃。

空気が澄んだよく晴れた日に、移動教室帰りの私が歩いていると、後ろから声をかけられた。

「愛川」

振り返った先に三年生の男子が立っていた。

モデルみたいに整った見目に、のびやかな手足。

整髪剤のにおいをまとわせる茶色い髪は、ところどころが計算通りに跳ねている。

長い前髪の下、切れ長の目が食い入るように私を見ていた。

「早瀬先輩」

口をついて出た呼び名は、私にとって初めて口にするものだった。

早瀬光。素直が顔見知りだったバスケ部員のひとりであり、真田くんの足をつぶしたと噂される人物の名前だ。

　この人が気に入らない後輩の足をつぶしたというのは、校内でまことしやかに囁かれている噂だった。というのも早瀬先輩と親しい生徒が以前、それらしきことを武勇伝として吹聴していたことがあるからだ。

　呼びだしを受けた真田くんを三人がかりで取り押さえて、腹を殴り、膝や足を蹴りつけた。そういったことは一度や二度ではなかったという。調子に乗っている後輩への制裁、という名目だった。

　悲願のインターハイに手が届きそうだったのに。

　立役者である真田くんは、この人のせいで決勝の舞台に立てなかった。

「久しぶり」

　親しげに早瀬先輩が言葉を続ける。つり上がった口角。自信に裏打ちされた声と態度。

　近づいてくる先輩から、さりげなく一歩後ろに下がる。両腕に抱えた教科書で見えないバリアーを張る。

　伸ばされていた手は、最初から行き着く予定だったというように先輩自身の腰に当てられる。いつもこの人は、こうやって自身のプライドを守る術を細かく身につけている。

「そうですね」

　夏休みが明けて、素直はめっきり体育館に寄りつかなくなった。放課後は教室でぼうっとしているか、他のクラスの友人とお喋りするか、まっすぐに家に帰ってリビングのテレビをつける。それが最近の素直。

ここ数日の素直は、夏に取り残された蟬の抜け殻みたいだった。

「マネージャーになれば良かったのに」

愚痴を漏らすように言われるのは、二回目だ。言い回しは少し違う。前は、マネージャーになればいいのに。

「私、面倒くさがりなんで」

一回目の素直と同じ言い訳を私は口にする。

新入生の素直は友人に誘われるがまま、バスケ部のマネージャーに体験入部をした。でもそこで先輩マネージャーに教わりながら、飲み物の準備をし、汗ばんだボールをひたすら拭い、大量の洗濯物を洗って干し、日誌の記入、スコア書きをして……ちょっと疲れちゃった？　でもまだごく一部の仕事で、次はね……。

素直は一日でダウンした。その日の帰り道、自転車を電信柱にぶつけた。自転車かごは鼻っ柱が折れたままだ。翌日は私を呼ぶ気力もなく学校を休んだ。

「そればっかりだな」

早瀬先輩はやや不機嫌になったようだった。露骨に顔を顰めたりはしないが、眉を寄せている。

私は何も言わず、よく知らない男性から目を逸らす。

この人を、どんな顔で見ればいいのか分からずにいる。

予鈴が鳴る。

早瀬先輩に絡まれた私は、うんざりしながら教室へと戻っていた。

帰りのショートホームルームの内容が耳に入ってこない。高二ということもあり進路に関わる話が多いけれど、ほとんど聞き流してしまった。

素直は夏休みの間、いくつか県内大学のオープンキャンパスに行ったようだ。進学希望者に義務づけられる補習授業にも休まず出席していた。

三者面談では、今の学力なら志望校は問題ない、と担任から太鼓判を押されていた。でも普段の授業態度があまり良くない日があるな。試験以外の時間もしっかり集中するように。気を抜かないように。

はい、はい、とひとつずつのアドバイスに頷くお母さんの横で、素直がどんな顔をしていたのか。彼女の記憶を記録として探るだけの私に、その顔つきは見えない。

「ナオ先輩、なんかイケメンに絡まれてましたね」

ぎくりとした。見られていたのか。

部室に入るなり、変な顔を向けられたのはこれが理由だったらしい。

向かいの席でにやにやとした笑みを浮かべているりっちゃんに他意はない。りっちゃんは校内の噂なんかに疎い。あまり興味がないのだと思う。そのイケメンが、真田くんに怪我を負わせた人物とは知らないのだ。

隣でページをめくっていた音が止まっている。アキくんの視線を感じる。

「ほら、茶色い髪で気障ったらしい感じの」

「りっちゃん」

それ以上、言ってほしくなかった。焦る私の反応のほうが、よっぽど分かりやすかったのかもしれない。

「早瀬先輩か」

ごめん、と謝るのもおかしな気がして私は唇を引き結ぶ。

真田くんをひどい目に遭わせた人。許してはいけない人。

でも、同時に気がついている。あの日、素直がりっちゃんと喧嘩したから私が生まれたように、真田くんが足に怪我を負ったことでアキくんも生まれたのだと。

だから私は未だに、早瀬先輩をどんな顔で見ればいいのか分からずにいる。自分勝手で、後ろめたい気持ちを抱えているから。

その日の部活の終わり、珍しくアキくんのほうから声をかけてきた。

「部長、悪い。ちょっと時間もらえるか」

えっ、と声が上擦る。持ち上げかけていたバッグを、上と下のどちらに動かせばいいのか。

すす、と白黒のチラシをりっちゃんがテーブルに置く。

「お二人さん。話ついでにこちらはいかがです？」

「え？」

「近隣住民しか知らないイベントだから、穴場ですよ」

どういうこと、と聞き返す前にりっちゃんは「ではでは」と早足に部室を出て行ってしまう。

取り残された私たちはしばらく何も言えずにいた。

幼稚園児がクレヨンで塗りつぶしたような嘘っぽい夕陽が、狭い部室を照らしている。

閉め忘れたままの窓から入ってきた風が、カーテンをさらさらと揺らす。

長く伸びた二人分の影。本棚の影。柔らかに首を振る、扇風機の影。

アキくんがゆっくりと身動いだ。

「行ってみる？」

りっちゃんが置いていったのは、お祭りのチラシだった。

◇◇◇

祭りの会場は、学校からほど近い神社の境内だった。

私は自転車を引いて、徒歩のアキくんと一緒に小さな神社に到着した。

本来は夏の終わりに開かれるというお祭りは、台風の影響で九月に延期となったらしい。

駐輪場の様相を呈した砂利道に自転車を預けて、短い石段を登ると、境内の外周を覆うように屋台が並んでいる。

「わぁ」

かき氷。りんご飴にぶどう飴。たこ焼き、焼きそば、フランクフルト、わたあめや冷やしパイン。ヨーヨーすくいに、金魚すくい。

一目で見渡せるくらいの屋台の間を、ぞろぞろと人が歩き回っている。大人も子どもも、今日という日は誰もが笑顔で楽しそうだ。

茜色の空の下。屋台も、雑踏も、石砂利も等しく、赤い提灯の光によってオレンジ色に染め上げられたその場所は、別世界みたいに美しかった。

スピーカーから絶え間なく流れる祭り囃子の音と、雑多な話し声が、私の耳の奥で一緒くたになって溶けていく。近所に住む小学生が、シロップをつけた筆で描いたらくがきせんべいを見せ合って、けたけたと楽しそうに笑っている。

たぶん、それを見つめる私の頬も、彼らと同じ色に染まっている。

「お祭り、初めてだ」

「俺も」

高揚した呟きにほんのり弾んだ同意が返ってきて、どうしようもなく嬉しくなった。

誘われるみたいにふらふらと、私は細く敷かれた石畳の路を歩きだしたけれど、すぐに立ち止まった。アキくんは立ち尽くしたままだった。

「どうしたの？」

振り返って訊ねてみると、頬をかいて答える。

「浴衣、見たかったなって」

誰の、と訊こうとして口をつぐむ。そんなの、聞くまでもなかったからだ。

腕に巾着をぶら下げた浴衣姿の女の子たちが、かしましく通り過ぎていく。彼はそれを見て、私の浴衣を見たいと思ってくれたらしい。ちょっぴり、くすぐったい感触がした。

私もアキくんも、味気ない制服姿だ。どうせだったらと思う。

「私も君の浴衣、見てみたかった」

女の子の浴衣が特別きれいなのと同じ。男の人の浴衣だって、格別にかっこいい。涼しげなアキくんには、きっと和服がよく似合う。

アキくんは芝居がかった仕草で、やおら顎に手を当てた。

「じゃあ、お互い浴衣の体で行くか」

「なにそれ」

またくすぐったくなって、私は笑う。たまにアキくんは真顔でおかしなことを言う。でもそれが独特で、私は、彼が口を開くたびに、次はその薄い唇がどんな言葉を放つんだろうって、楽しみに思う自分のことも知っている。

一言も聞き逃さずに、耳を澄ませていたいのだ。

冗談めかしてスカートの裾をふんわりと持ち上げると、私は小首を傾げてみせた。

「それなら、私はどんな柄の浴衣を着てると思う？」

少し考えてから、彼が返事をする。

「花柄、かな。色は水色とか青とか、ピンクとか。白も似合うけど」

「いいね。アキくんは無地の紺色とか、深緑色の浴衣とかもいいかも」

アキくんがぱちぱちと、目をしばたたかせる。驚いているようにも、二人分の幻の浴衣を、眼裏から呼び起こして焼きつけたようにも見えた。

私はとっくに、花柄の袖をひらりと振っている。

「浴衣も着てきたことだし、何か食べようよ」

いつまでも遠くから見ているだけじゃあ、つまらない。祭りは楽しまなきゃ。

頷いたアキくんと連れ立って、賑わいの中へと飛び込んでいく。

「食べたいものある？」

「ちょっと喉が渇いたから、まずはかき氷！」

「りょーかい」

咲き誇る紫陽花。黒地に桜。白百合の浴衣。

髪には金魚や蝶々のかわいいかんざしを着けて、七色の浴衣帯で腰をきゅっと締めて、履き慣れない下駄の鼻緒で、指の間を真っ赤にする。

アキくんと一緒ならば、私はどんな浴衣だって着られるのだ。

「いちご、メロン、レモン、オレンジ、ブルーハワイかぁ」

かき氷の屋台で短い列に並びながら、難解な問題について考えるかのように私は物思いに耽る。後ろに立つアキくんは余裕の表情だ。

「もうどれにするか決めたの？」

「決めた」

「お姉さん、注文どうぞー」

あっという間に順番が来てしまった。慌てて巾着から千円札を取りだしつつ、頭を回転させる。

かき氷は三百円、練乳もかけたいときはプラス百円、でも今は練乳の有無を考えている場合じゃない……。

「えっと、メロンをひとつお願いします」

「レモン？」

「メ、メロンで」

「レモンね」

「メロン！」

似たような問答を何度か繰り返してから、じゃこじゃこと古めかしい音を立てて、かき氷器が動きだす。

爽やかな緑のシロップでお山のてっぺんがふやけたカップを受け取って、アキくんと屋台の裏側に行く。

砂を払い、石垣に並んで座る。蛾が寄らないようにか、明かりの落とされた屋台の後ろはわりと薄暗い。他の屋台から、もくもくとおいしいにおいの煙が流れてくるので食欲はそそられるばかりだ。あとで焼きそばも食べなきゃ。

先端が丸まったスプーンストローで、かき氷をかき分けていく。しゃりしゃり、と小気味よい返事を聞きながら、ぱくりと口に放り込むと、冷たい甘みが口内に一気に広がった。

「冷たい！」

二人で口を揃えて叫んで、おかしくなって、顔を見合わせて笑ってしまう。

言葉にしなくても分かった。お祭りだけじゃない。きっとシロップたっぷりのかき氷も、私たちは初めて同士だった。

「そっちは何味にしたの？」

レモンメロン問答に明け暮れていた私は、アキくんの注文を聞き逃していた。暗い中だと、かき氷はどれも同じ色に見えてしまう。

「当ててみて」

ざくり、とかき氷を掬ったスプーンが、なぜか私のほうを見る。

私はとっさに大きく口を開けていた。

ぱくり、とスプーンを咥えた舌先はしびれたみたい。はらりと溶けていった氷にどんなシロップがかかっていたかなんて、当てられるわけがなかった。

「分かった？」

「わかんない」

べ、とアキくんが舌を出す。生まれつきのピンクじゃない人工的な色がそこに乗っている。

「舌べら、真っ青だ。ブルーハワイ」

「正解」

悪戯っぽく、にやっと微笑まれる。海の向こうにある島の名前を冠したシロップは、正体が判明してからも、なんともいえない味わいで喉奥を滑り落ちていく。

さくさくと溶けかけた氷を探ったスプーンが、次はアキくんの口の中へと向かう。私は直視できずに、汗をかいたカップを、ぎゅっと左手で掴んで明後日のほうを向いていた。

私の熱で、氷がぜんぶ溶けてしまったらどうしようと心配になる。彼に気づかれたときの言い訳が、まだ思いついていない。

どくどくと鳴る心臓の音だけは、どうか、祭り囃子に掻き消されていると信じたい。

黙り込む私にお構いなしに、アキくんが言う。

「そういえば、舌べらは方言らしい」

「えっ。じゃあ、舌べろも方言？」

お父さんは舌べろ、お母さんは舌べらって言うのを聞いたことがある。私は舌べら、素直は、舌べろ派。

「たぶんそう」

もう一口、と舌べらにお裾分けしてもらったブルーハワイは、次は瑞々しい味がした。……ような気がする。

もらってばかりじゃ悪いなと、私は勇気を振り絞ることにした。ありったけ、身体の隅っこまで探ってかき集めてきた、ちっぽけな勇気のかたまり。

「私のも食べる？」

「うん」

照れ隠しに、スプーンからこんもり突き出るくらいよそったメロン味のかき氷をお見舞いする。でもアキくんはそれより大きく口を開けて、ぱくりと食べてしまった。しゃくしゃく、と鼻を突き抜けていくような咀嚼の音の合間。

「ずっとメロン、食べたかったんだ」

種明かしのような一言が降ってくる。

さっきのもう一口が誘い水だったのだと知って、顔がりんご飴の色になってしまった。

「早く言ってよ！」

膨れた私は、アキくんのひらひら揺れる幻の浴衣の袖を、きゅっと皺になるくらい強く引っ張った。薄闇でも分かるくらい真っ赤な彼が、眉尻を下げて「ごめん」と笑ったのは、きっと照れていたからだろう。

食べ終わったかき氷カップを二人で捨てに行ったあと。

自由になった私の手を、アキくんがそっと握る。茹だるみたいに熱いのが、どっちの手か分からない。

「はぐれると困るから」

「……だね」

本当は、はぐれるほどの人混みじゃない。でも私は、真面目くさった顔つきで頷いてみせた。

人差し指から小指までをそろそろと、怖がりの子どもみたいに動かす。意図を察したアキくんも、そろそろと動いて、真ん中に誰も入る隙間がないくらい指を絡め合った。

心臓がきゅうっと高鳴る音がする。

高鳴って、弾けて、花火みたいに打ち上がっちゃいそう。

手を繋いで、私たちは屋台を次々と巡っていった。同じ屋台の前を何度も通りかかって、鉄板の熱気に顔をなぶられて、わたあめの機械から飛んでくる甘い風を頬に受けて、楽しく笑い合った。

キャベツしか入っていないソース味の焼きそばや、下手っぴなレッサーパンダを描いたらくがきせんべいは、どうしてこんなにおいしいんだろう。

交互に口元に運ぶまあるいたこ焼きに、二つ並べた双子みたいなりんご飴は、どうしてこんなにかわいくて、頬擦りしたいくらい愛おしいんだろう。不思議に思いながら、ふうふうと息を吹きかけて熱いたこ焼きを宥めて、舌先でちらちらと飴を舐めた。

私のかんざしから飛び立った金魚は、境内を自由自在に泳ぎ回り、蝶々は優雅に飛び回っている。浴衣から抜けだした花々が、頭上をダンスするように舞い散って、祭りの夜をとりどりに彩る。

ひょろひょろぴぃぴぃと、祭り囃子が歌って。

彼と一緒にいると、私の生まれて初めては、どんどん更新されていく。

◇◇◇

くったりと疲れるくらい満腹になった私たちは、再び鳥居をくぐって石段のところまで戻ってきていた。

鳴り響いている祭り囃子の音量は変わらないはずなのに、少しずつ夜は更けて、祭りの熱気が遠のいていく気がする。茂みから、ちりりと虫が鳴く声が聞こえてきて、秋の気配がひたひたと迫っているのを感じた。

季節にも終わりがあるように、いつまでもレッサーと一緒にいられないし、背伸びして浴衣を着たままじゃいられない。

後ろ髪を引かれるような気持ちで制服をまといながら、ふいに思いだした。

そういえばアキくんが話そうとしていたことを、まだ聞いていない。

ねぇ、と隣の彼に問おうとして、硬い面持ちにいやな予感を覚える。

「ナオ。今日でお別れだ」

出し抜けにアキくんがそう呟いた。

ずくん、と鼓動が、痛がるみたいに鳴った。顔を上げきれないまま、私は唇だけを動かした。

「どういう、こと？」

「来週の月曜が、決行日らしい」

要領を得ない自覚があったのか、アキくんが頬をかく。石段の形に沿って歪んだ濃い影法師が、そんな風に動いている。

風がない夜は暑くて、真夏の夕暮れに似ていると思った。

「俺が任されたのは、秋也の代わりに復讐を成し遂げること。それまでの時間稼ぎとして学校に通って、なんにも気にしてないように日常生活を送ること。その二つだけだから」

「復讐？」

「レプリカを利用した作戦を、秋也が練ってる」

右から左へ。左から右へ。頭の中を通り抜けていく言葉の意味が、かみ砕けない。

畳みかけるように、彼は説明を続ける。私が口を挟むのを避けたがっているように見えた。

「作戦自体はシンプルだ。まず、俺が早瀬を呼びだしてボコる。再起不能にする。早瀬はそのあと俺にやられたって訴えるけど、早瀬が殴られてた時間帯、秋也は別の場所で他の人に目撃されている。これで、アリバイが成立する」

復讐。アリバイ。刑事ドラマの中でだけ飛びだすような不穏な単語が、頭の上をすり抜けていく。

私はゆっくりと、顔を上げる。

泣きたくなった。アキくんが諦めたように笑っていたからだ。

今まで積み上げてきた幸福のすべてを手放すような表情で、私のことを見つめていたからだ。

「なんで？」

「だから、復讐だよ」

それでは答えになっていない。

「なんで、君が殴るの？　真田くん本人じゃなくて、君が殴るの？」

微笑むアキくんは答えない。当たり前だった。私の言葉は彼じゃなくて、ここにはいない真田くんにぶつけているものだったから。

「早瀬先輩がやったことは許されないことだよ。そうに決まってる。でもそれなら真田くんが直接、早瀬先輩を殴るべきなんじゃないの。どうして君が殴らなきゃいけないの。ひとりだけ荷物を背負わされるの」

暴力を振るう人は分かっていない。

みんな武器を持っている。拳があって、足がある。硬い頭だってついている。特別な道具がなくたって、誰かを傷つける術を誰だって持ち合わせている。

殴る人は、蹴る人は、相手が同じ手段を持っていて、その方法を使わない道を選び取っているということを理解していない。

相手が痛いって知っているから、選ばなかったのだ。

アキくんは、そういう人だ。

真田くんも、そういう人なのだろう。

だから真田くんは、自分のレプリカにすべての負担を押しつけようとしている。

「本当は殴りたくなんて、ないでしょう！」

私が声を張り上げても、アキくんは何も言わない。

肯定も否定もしない。真田くんのことを思うから、何も。

喉が引きつる。手足がしびれる。内側からトンカチで、がんがんと叩かれているみたいに頭が痛い。

目の奥が熱い。叫びたいほどの熱。額の真ん中が開きそう。髪の毛が逆立つ。目尻に竜巻が起こる。頬が滝になる。顎が弾けて、大雨が飛び散った。

ああ、駄目だ。駄目だ。

私は、素直のレプリカなのに。

お祭りで迷子になった子どもみたいに、声を上げて当て所なく泣きだす私に、アキくんまで泣きそうな顔をする。

戸惑いながら手を伸ばしてくる。その手を私は両手で包み込んだ。

二人きりみたいな世界の端っこで、祈るように頭を下げて目を閉じる。ぼろぼろとこぼれる涙が顎を伝う。

ねぇ、神様。

信じてもいない神様。

どこにもいない神様。

この人にどうか、拳を握らせたりしないで。

このきれいな手が見えるのならば、残酷な運命から引きはがして。

「優しい手だもの。人を殴るための手じゃない」

音を立てないように、そぅっと、ドアを開けるような人なのだ。

差しだした手を傷つけないよう、こわごわと握ってくれるような人なのだ。その手に、痛ましいものをひとつも刻みたくない。

呻くような、声がする。

「秋也のために、俺がいるんだ」

「違う。君は、私に会うために生まれてきたの」

頭上で、息を呑んだ気配がした。

涙は次から次へとこぼれる。飛び散った黒い点が地上を覆い尽くす。暴力的な洪水が呑み込もうとしても、言葉はもう、止められない。

いつからだったのだろう。

私はこんなにも、この人のことが大切になってしまった。

「私と動物園に行くために。私と遊園地に行くために。私とお祭りに行くために。私と水族館に行くために。私と映画館に行くために」

「知らない間に、今後の予定が立ってたな」

「来年は花火大会だって、一緒に、行くんだから」

苦笑するアキくんの手を、ひたすら強く握る。

嘘だ。本当はどこでもいい。

どこじゃなくてもいい。たとえばそれは小さな物置きだった部室や、廊下の片隅や、裏庭のベンチや、もっとちっぽけな、名前のない草が生えた道ばたでもいい。

近くにレッサーパンダがいなくてもいい。

笑う彼が、隣にいればいい。

「分かったよ」

その言葉に顔を上げる。

まだ真意を測りきれない。唇を震わせる私に、アキくんは言い聞かせるように言う。

「俺も、ほんとは殴りたくないんだ」

「……うん」

「だから、説得してくれ」

説得？

「誰を？」

鼻をすすってぐずる私に、アキくんが笑いかける。

「愛川素直(あいかわすなお)」

第4話　レプリカは、落ちていく。

月曜日は朝から、校舎全体の空気が浮ついていた。

隠そうともしない好奇心にまみれた会話を耳にするたび、私は苛立ったけれど、そんなことはおくびにも出さなかった。アキくんの横顔が平静だったからだ。

冷静で、集中しているのが見て取れた。話しかけようと試みる誰も彼もが近づけないのを見れば、自分ばかり動揺しているのが情けなくなった。

何度か深呼吸をする。昼休みを迎えるまでに、途方もないほど長い時間がかかったような気がした。

壁かけ時計の分針がかちりと鳴る音が、のろのろと遅い。そう感じたのは、もしかすると私が、心の奥底では永遠に昼休みが来ないようにと願っていたからかもしれない。

チャイムの音を聞くなり、慌てふためいて立ち上がっていた。

まだ号令もかかっていない。呆れ顔の先生の視線を感じた。しかし私が動きだしたので、なし崩し的に授業は終わりという空気がクラスに漂い、生徒たちは机をくっつけはじめている。

あちこちから体育館、という単語が聞こえる。降って湧いたような喧噪の中、後方を振り向くと、すでにアキくんの姿はない。着替えや準備があるので先に体育館に向かったのだろう。

やるべきことはやった。

だから、きっと、大丈夫。

それでもぱたぱたと上靴を鳴らしながら教室を出ると、水道脇に所在なげに立っている後輩の姿があった。

「りっちゃん」

「ナオ先輩！」

ほっとしたように駆け寄ってくるりっちゃんと共に、体育館へと向かう。りっちゃんの肩にも張り詰めた緊張感が漂っていて、渡り廊下を歩く最中、私たちの間に一言も会話はなかった。

昼休み、体育館では男子生徒が集まってバスケをやることが多い。体育館の外では、女子がバドミントンをしているのがいつもの光景だ。

その日は違っていた。体育の授業中のように、けれどがら空きの二面のコートを取り囲んで何人もの生徒が体育館の隅にひしめき合っていた。

上級生もいれば、同学年の生徒や下級生もいる。男子のほうが多かったが、それなりに女子の姿もある。満遍なく注目を集めているということだろう。

彼らは今か今かと、試合が開始されるときを待っている。大勢の人が集まっているからか、むわりとした熱気が漂っている。

三分ほど経ち、主役二人が計ったように表口と裏口からそれぞれ登場したときは、予想に反して体育館内は静まり返っていった。誰かが唾を呑み込む音さえ聞こえた。その音は私か、傍らのりっちゃんのものだったのかもしれない。

二人は入り口側のコートで、少し距離を空けて向き直った。

身長は、アキくんのほうが五センチほど高い。だが重心を左に傾けている分、早瀬先輩のほうが大きく見える。

二人とも、シャツとズボンという制服姿のままだ。上靴だけはそれぞれ愛用のバッシュに履き替えている。足首を痛めないためだ。

バッシュ以外は普段の格好と変わらないのは、もちろん示し合わせてのこと。

これは単なる昼休みの遊び。暇つぶしの延長上。ユニフォームや審判役を用意しては、相手の警戒が濃くなるだけだとアキくんが言ったからだった。

「早瀬先輩、ご足労いただいてありがとうございます」

礼儀正しく頭を下げるアキくんの顔に、表情らしい表情は浮かんでいない。

早瀬先輩は軽く肩を回しつつ、わざとらしく眉と下唇の先端を持ち上げる。

「怪我は大丈夫か？」

ざわめきが走った。自分からその話題に触れるとは、誰も思わなかったのだろう。

アキくんはその場にしゃがみ、靴紐を結び直している。挑発にもまったく動じていない。

少なくとも私にはそう見える。

「日常生活に支障はありませんよ」

「それは何より」

背中がぞわりとする薄ら笑い。

「文芸部、入ったんだってな」

そう言いながら、早瀬先輩は離れた位置に立つ私を見ていた。観客の中から目敏く見つけていたらしい。

アキくんは呟きに気がつかない振りをして、続けてみせる。

「で、今日の試合なんですが。俺が勝ったら、俺の足をつぶした件を謝罪してください」

なんのことだ、とは早瀬先輩は言わなかった。

どちらにせよ証拠はない。もうバスケ部だって引退しているのだから、どう転んでも問題はない。そう確信している以上に、自分が負ける気などさらさらないのだろう。

「こっちが勝ったら？」

「もう片足、つぶしたいなら」

挑戦的に顎をしゃくられ、早瀬先輩の目に残酷な光が宿る。

試合形式は１ｏｎ１。時間は無制限。先にシュートを決めたほうが勝ち。

極めてシンプルなルールに定めたのは、怪我をした足首の件があるからだ。真田秋也は、長時間の試合には耐えられない。

「先に俺がディフェンスやります」

早瀬先輩が揶揄するように短く口笛を吹く。

「へぇ。いいのか？」

一本シュートを決めれば勝ちなのだから、先攻が圧倒的に有利だ。早瀬先輩は、真田くんがバスケ部に入部するまではエースを務めていた実力者でもある。

「ハンデは必要でしょうから」

早瀬先輩は何も言わなかった。ただ、頬がひくりと不快そうに引きつっていた。

バスケ部の部員が投げたボールを、早瀬先輩が受け取る。

始まりは感触を確かめるような、規則的なバウンドの音。

「開始の合図は？」

「いつでもどうぞ」

きゅ、きゅ、どん、どん、と体育館の床が鳴る。

ホイッスルの音はない。

何十人もの観衆の目の前で、静かに試合が始まった。

片手でドリブルを続ける早瀬先輩相手に、アキくんが距離を詰める。

前傾姿勢になった早瀬先輩の手元で、ボールが跳ねる。先ほどまでとは明らかに違う、緩急のあるドリブル。何度かアキくんが牽制するものの、ボールは吸いつくように早瀬先輩の手のひらへと戻っていく。

素人の私でも分かるほど隙がない。あんな風に動くボールを、奪うことなんてできるのだろうか。見ているだけなのに呼吸が荒くなる。

早瀬先輩の股の間をボールが素早く通る。その動きをどうにか追えた直後だった。弾丸のような速度で、左側に早瀬先輩が切り込んでいた。

右足を痛めるアキくんの反応が、一瞬遅れる。顔が引きつる。その隙を早瀬先輩は見逃さなかった。

胸が開き、背がまっすぐに伸びる。ボールを両手で持とうと構えかけた。遅れを必死に取り戻そうと、アキくんがブロックのために手を伸ばす。

だがシュートは放たれなかった。フェイントだ。シュートと見せかけたアタック。早瀬先輩の唇が笑みの形に歪み、ボールを前へと押しだす。

抜き去ったと確信したのだろう。この場にいる誰もがそう思ったかもしれない。今度こそ早瀬先輩はシュート体勢に入り、間もなくボールがリングを通過するのだと。

がん、という破裂音のような音が響き渡った。

女の子たちがきゃあ、と声を上げて避ける頭の間、ボールが勢いよく硬い壁にぶつかって跳ね返る。

アキくんだ。早瀬先輩のフェイントを見抜き、つられた振りをした。宙に浮いたボールを、後ろ手に弾いてカットしたのだ。

「攻守交代です」

あっさりと宣言してみせるアキくんに、体育館中がどよめいた。

おもしろくなってきたと騒ぐ観衆の声。苛立たしげに舌打ちする早瀬先輩の顔には、はっきりと書いてある。

舐めていた。本気を出さないと、負ける。

先攻を取らせたのにはもちろん意味がある。試合は長引かせてはいけない。最短ルートで勝つには、油断した早瀬先輩の攻撃を防いだあと、アキくんが次のチャンスを必ず活かさなければならないのだ。

それ以上は、保たない。

「足、治ってんだろ」

早瀬先輩が憎々しげに吐く。

「そう見えるんなら光栄です」

ボールはアキくんのもとへと投げられる。

一度、アキくんがボールをついた。地面を穿つように、ボールが床の上を跳ねる。体育館中が揺れているような迫力があった。

「やり返しますね、先輩」

いつ切り込んでやろうかと、舌なめずりするような声音。

早瀬先輩が身体をわずかに引く。アキくんの一挙一動に目を光らせ、どんな動きにもついて

いけるように気を張っている。

だが、アキくんはその場から一歩も動かなかった。

横には動かず、ただ、ボールは縦に移動していたのだ。

ラインの外から放たれたワンハンドシュート。

入れ、と私は、心の中で無我夢中で叫んでいた。

そして呆気に取られる早瀬先輩の頭上を飛び越え、鮮やかな放物線を描き、警戒を嘲笑うかのようなスリーポイントが決まっていた。

ゴールリングを掠めることもなく、ボールはゴールへときれいに吸い込まれていった。

とん、とん、ととん、とボールが体育館の床を転がり、やがて止まる。

呆然とする早瀬先輩に、アキくんが肩を竦める。

「仮入部の頃、教えてくれましたよね。１ｏｎ１は演技力が大事だって」

やり返すとわざと口にすることで、直後のシュートはないと思わせた。作戦通りディフェンスが後ろに下がってしまえば、アキくんにはもう動く必要もなかったのだ。

静寂の一瞬を経て、わっと大きな歓声が上がった。

体育館内は異様な熱気に包まれていた。羽をもがれた元エースの華麗な逆襲に、誰もが浮き足立っている。

「俺の勝ちっすね」

喧噪の中、胸元のシャツを乱暴に引っ張ったアキくんが頬に流れる汗を拭う。

「足の件、謝ってもらえますか」

その声は、騒がしい中でもはっきりと聞き取れた。

「……あれはただの事故だ」虫の羽音よりも小さい声だった。「でも、悪かったな」

もっと誠心誠意、謝るということができないのか。

私は歯痒く思ったが、アキくんは頷いてみせた。

「じゃ、お疲れ様でした。後片付けはこっちでやりますんで」

顔を大仰に歪めた早瀬先輩が、体育館を立ち去る。慌ててついていくのは友人たちだろう。

試合は終わったが、人はますます増えている気がする。中には食事を終えてから駆けつけた生徒もいたようで、あちこちから試合を見逃して残念がる声も上がっていた。

アキくんは何人かの生徒に囲まれている。バスケ部の部員だろう。答える顔に笑みが浮かんでいたから、ほっとした。中には夏休み前に自転車を貸してくれた友人もいたはずだ。疎遠になっていても、完全に縁が切れているわけではなかったのだ。

私も、大事な役目を任せきりにしていたりっちゃんの元に駆け寄る。

「りっちゃん、ありがとね。撮影どうだった？」

「モーマンタイですよー。ちゃんと撮れました」

胸の前に構えていたスマホを、りっちゃんが下ろす。アキくんのスマホだ。他にも試合風景を撮影していた生徒は何人かいたようだった。

差しだされたそれを、私は受け取る。

「真田先輩、すごかったですね」

「うん」上擦ったりっちゃんの言葉に、私は、頷くしかできない。「すごかった」

バスケなんて授業くらいでしかやったことがない。そんな私にも理解できるほど、アキくんはすごかった。それこそ早瀬先輩なんて目じゃないほどに。

りっちゃんには試合の撮影係をお願いしていた。アキくんと早瀬先輩の最初のやり取りから幕引きまでをリアルタイムで、あるグループトークに流してもらった。

りっちゃんにとっては意味不明なお願いだっただろう。でも頼りになる後輩は詳しくは聞かず、任せてほしいと胸を叩いてくれた。

どうしてもリアルタイムで、真田くんに……真田秋也くんに、見てほしかった。

アキくんが真田くんのために、全力でバスケの試合に臨んだことを。早瀬先輩に一泡吹かせてみせたことを。

金曜日、お祭りの日。

すっかり泣き腫らした私が、じくじくと痛む目蓋を持て余していると、屋台のほうに行っていたアキくんが戻ってきた。

「これ、良かったら」

その手に電球の形をしたジュースがあった。屋台でも一際目立っていた電球ジュースである。大きな電球の底面にボタンがついていて、そこでライトが点灯するスピードを切り替えられるようになっているらしい。

ちかちか、ちらちら。人工的な光を灯す電球を眺めていたら、なんだかいろんなことが馬鹿馬鹿しくなって、思いっきり吹きだしてしまった。

これを彼は、どういう顔をしてひとりで買いに並んでくれたのだろう。ここに帰ってくるまでの間、きっとすれ違う人たちに二度見されて、恥ずかしくて仕方なかったんじゃないかな。

考えるだけで堪らなくなって、笑わずにはいられなかったのだ。

「ラムネとか、ペットボトルのほうが良かったか」

アキくんは笑われたのが悔しいのか、憮然としている。私は目尻ににじんできた涙を拭って、首を振った。

「ううん、嬉しい。ありがとう」

ＳＮＳ映えのライトなんて顔負けするくらい、心に明るい炎が灯っていた。

両手で受け取って、よく冷えたつるつるの電球を目元に当てる。

ああ、冷たくてきもちいいな。

目蓋と一緒に、狭まっていた視界がぱぁっと開いていく気がする。

ファンシーなハートの形をしたストローを咥えて、ぱちぱち弾けるいちごの炭酸ジュースをちゅーちゅーと吸い上げていると、アキくんがポケットからスマホを取りだした。

「誰に連絡するの？」

「秋也の携帯」

青白く光る画面に、秋也の二文字が浮かんでいる。

「真田……くんも、携帯持ってるの？」

「うん。このスマホは秋也から支給されて、自由に使っていいって言われてる」

同じレプリカでも、素直と私の関係と、真田くんとアキくんの関係は大きく違うらしい。

呼びだしをかけ、左耳にスマホを当てた彼が目顔でこちらに合図を送る。私にも聞いてほしい、という意味だとすぐに分かった。

私は真剣な顔で頷くと、右耳をぺたっと温かなスマホの裏側に当てた。そうして手元のボタンを押し、電球のちかちかを高速モードに切り替えた。

肘で優しく小突かれて、口元だけで笑う。

草と土の香りに混じって、むわっとした、濃い汗のにおいが二人分。照れくさいのに、どうしてか、隣り合わせでくっついた膝や、ぺたっと汗ばむ肘同士を、そのままにしていたい。彼も、そう思ってくれていたらいい。

私が電球のライトを消すと同時、通話口に真田くんが出た。

『はい』

その低い声は、機械的な音声に変換されているせいだろうか。私には、アキくんとは似ても似つかない、知らない誰かの声のように聞こえた。

「秋也、悪い。例の復讐計画、俺は降りる」

電話の向こうで、息を呑む気配が伝わってきた。

自分のレプリカが、そんな風に言いだすとは思わなかったのだろう。レプリカは、オリジナルの命令を聞くもの。真田くんも、素直も、私だってそう信じていた。そういうインプットされた在り方だけが、認められるのだと思っていた。

アキくんは、それを真っ向から否定する。復讐計画の後味の悪さや、人を傷つける行為は犯罪であり、早瀬先輩のやり口と変わらないということを、あくまで淡々と語る。彼はすごいことを、胸を張らずにやってのける。

意外なことに、真田くんは一度も口を挟まなかった。ただ、スマホの向こう側で息を殺したように静かにして、アキくんの話をじっくりと聞いていた。

石段の隅に座り込む私たちの横を、小学生が、親子連れが、中学生らしきカップルが通り過ぎていく。祭りから日常へと戻っていく足取りは、一様にゆったりとしている。

本当はみんな名残惜しくて、まだどこにも帰りたくない。

だからこそ祭りには終わりがあるのだと、消えていく背中を見つめて思った。

私の手元のいちごジュースが尽きた頃、ぽつりと真田くんが呟く。

『つまり、復讐なんかやめろってお前は言いたいんだな』

震える声には怒りか、悲しみともつかない何かがにじんでいた。けれどその言葉も、アキくんはきっぱりと否定する。

「いや。復讐自体は、真っ当な手段で完遂しよう」

『真っ当な手段？』

「スポーツマンらしく、ってことだ。それだったら俺も協力する」

そうして代わりの策をアキくんが提示すると、真田くんは納得してくれた。本心では自分の計画をおそろしく感じ、思い悩んでいたのかもしれない。怪我から四か月近く計画実行の踏ん切りがつかずにいたのは、それが理由だったのだろう。

真田くんは入りっぱなしになっていたバスケ部のグループトークを使い、早瀬先輩に試合を申し込んだ。他の部員に認知させることで、逃げられないようにしたのだ。

作戦はうまく行き、ものの数分で了承の返事が得られたという。試合の件を土日の間に生徒中に広げたのは、二人のやり取りを知った他の部員たちだった。

私はアキくんと別れて家に戻った。とんとんとん、とリズミカルな包丁の音を聞きながら、お母さんの背中にただいまを言って、二階の部屋へと向かう。

アキくんが口にした唯一の頼み事。それだけが、私に協力できることだったから。

「素直。来週の月曜日、私を代わりに学校に行かせてほしいの」

鍵を外してドアを開けた素直はたぶん、私の帰りが遅かった理由を訊こうとしていたのだと思う。あるいはいつものように、「もういい」と告げて私を消すつもりだったのかも。

でも部屋の鍵を開けて開口一番、私がそんなことを言って頭を下げて、しかもお祭りの名残の香りをぷくぷくと全身から立ち上らせていたものだから、え、と小さな声を上げたきり、沈黙してしまった。

素直は明らかに戸惑っていた。私が素直に対して、自分の意見をはっきりと主張するのは初めてのことだった。

怒るだろうなと思った。

でも素直は、頭ごなしに怒鳴ったりはしなかった。

「とりあえず部屋入って。夕飯までの間に、詳しく聞くから」

お母さんに会話が聞こえるのを避けたのだろう。素直に促され、私は見慣れない面接室かどこかに入室するような心持ちで、しゃちほこばった一歩を踏みだした。

まさに就活生のように勉強椅子に座った私は、ベッドに腰かけた素直に今までのことを包み隠さず説明した。

真田くんにもレプリカがいること。怪我を負って以降、学校にはずっとレプリカが登校していたこと。互いに正体を知ったこと。復讐計画のこと。アキくんが望んだから、月曜日はどうしても学校に行きたいこと……。

素直は、どこかぼんやりとしたような、困ったような面持ちで話を聞いていた。奇しくもその様子は、電話越しの真田くんによく似ていた。

話し終わると、一階からお母さんの呼ぶ声が聞こえた。今日はオムライスよ、という声に素直は大きな声で「はぁい」と返事をしてから、私に向き直る。

その顔にはまだ困惑が色濃く乗っていて、私は不安になったけれど、素直は小さく頷いた。

「事情は分かった。交代の件は別にいいよ。でも、ひとつだけ条件がある」

「なにっ？　なんでも言って」

私は立ち上がって、飛びつくみたいにカーペットの上に膝を滑らせた。

次の試験で全科目満点を取れというのなら、絶対に絶対にやり遂げてみせる。それだけの覚悟があった。

だって私は知っている。触れていた膝が、小刻みに震えていたこと。

そんなアキくんがたったひとつ、私にお願いした。私が傍にいれば、誰にも負けないって言ったのだ。

それなら私は、這ってでも学校に行かなきゃならない。

私の勢いに素直は気圧されたようだったけれど、もごもごと言った。

「私も、試合の様子を見てみたい」

思いがけない言葉に私は虚をつかれて、ちょっと待って、とひっくり返った返事をした。

この展開は想定外なので、アキくんたちの意見を仰がなければならない。

素直のスマホから、もらっていた連絡先に電話したところ、すぐにアキくんが応じて問題ないという答えが返ってきた。体育館に直接呼べればいちばん良かったのだが、そういうわけにもいかないので、そこでライブ映像という手段を取った。

そのとき素直と真田くんとアキくん、三人のグループトークを作って、私たちは決戦の月曜日に臨むことにしたのだった。

「じゃ、自分は教室戻りますね。まだお昼食べてないので」

「うん。りっちゃん、ありがとうね」

「どいたまです！」

りっちゃんが体育館を出て行く。その頃には広い体育館内はがらんどうになっていた。

残ったのは私とアキくんの二人だけ。それが分かると、彼は待ちくたびれたようにその場に仰向けになった。

倒れるときさえ、彼は静かだ。

「あー、疲れた」

ちら、とこっちを見てくる。鈍い私にも、さすがに視線の意味は理解できる。

体育館の真ん中でぐったりしているアキくんの傍らに座り込む。持ってきていたスポーツタオルで、汗に濡れた頬をぽんぽん拭ってあげる。

「かっこよかったよ」

「よっしゃ」

顔をくしゃくしゃにして、アキくんがガッツポーズを作る。

そのタイミングで電話がかかってきた。振動しているのはアキくんのスマホだ。

目顔で許可を取り、通話ボタンを押す。

スピーカーモードにすると、男性の声が聞こえてきた。

『お疲れ』

「おー」

転がったままアキくんが答える。シャツをたくし上げて胸やお腹を拭っているので、私はちょっと遠くのほうに視線を逸らしている。

『まじで勝ったな。さすが俺』

しきりに感心するような声。ずっと家に籠もっているという話とは結びつかない明るいトーンだが、深刻な雰囲気にならないよう、わざとそんな風に振る舞っているのかもしれない。

『お疲れ様』

これは素直の声。冷たく尖っていて、緊張しているのが窺える。ほとんど初めて話す男の子が二人もいれば、当たり前かもしれない。

ちゃんと素直も、ライブ映像を見てくれていたのだ。

「おー」

アキくんは先ほどと同じ平坦な声で返す。いちいち発言内容を考えるのも面倒なくらい、疲れているのだろう。

会話が続かずに沈黙が落ちる。静寂を嫌ったのか、ふいに『まー、その、あれだな』と真田くんが嘯いた。

『お前は痛くないんだもんな。だから、うん、良かったよ』

『あー。そう、だよね』

素直の間延びした同意を得て、真田くんの声の調子が上がる。

『俺、未だに歩くのもふつうにきついから。やっぱレプリカってすごいな、痛そうな演技も板についてるっつうか、あれは早瀬先輩も騙されるだろうって思った』

……なにが。

なにがいいもんか。

私はむかついた。腹の底のマグマがふつふつと沸騰して、抗いがたいほどの衝動と熱を生む。

「ごめん、ちょっと我慢してね」

えっ、とアキくんが異を唱える前に、私は動いた。

横に転がっていた彼の右足首を、ちょんとつついたのだ。

「いってええええ」

悲鳴が上がった。振り絞るような引きつった声は、絶叫と呼んでも差し支えなかったかもしれない。

スマホの向こうの空気が凍りついていた。今の声が、断じて演技ではあり得ないと分かったのだろう。真田くんも素直も、息を呑んで硬直しているのが目に浮かぶようだった。

「痛くないわけないでしょ。痛いのずっと我慢して、戦ってたんだよ」

なんで話すんだ、と責める目つき。私は石頭をえいやと小突く。

アキくんの気持ちは誰よりも理解している。だからこそ、黙ってはいられなかったのだ。

スマホの向こうで真田くんが何かを呟いたが、声が小さすぎてほとんど聞き取れない。

『ね、ねぇ、それじゃあんたも痛かったの？』

被せるようにして素直が口を開く。気が立っているときの素直の声は、きんきんしている。

私は唇を尖らせて答えた。

「素直の頭が痛い日は、私も痛い。お腹が痛い日は私だって」

『でも、そんなの今まで一言も』

「言えないよ、そんなこと」

ぐ、と眉間に皺を寄せる。当たり前でしょう、そんなの。

あなたたちは、私たちをなんだと思っているのだ。

「言えるわけない。素直の役に立ちたかったんだもん」

どんなに痛くても大丈夫。無理をしなくたって平気。代わりに、お腹の痛くないレプリカが学校に行ってくれるから。

そうして安心して布団で丸くなる素直を見て、何度もほっとした。私はちゃんと素直の役に立てて、必要とされている。そう思えたから、隠れて鎮痛剤を飲み干すようにしていた。

きっとアキくんも同じ。真田くんのために、痛覚があることを一度も知らせなかった。家では、右足を庇う歩き方さえしていなかったかもしれない。

嫌いになりたかった。でもどうしても憎めない。

それが、アキくんの本心だったのだから。

アキくんがふぅ、と長細く息を吐く。

「じゃあ俺は通話抜けるから。あとはオリジナル同士、好きに話してくれ」

『え、ちょ』

まだ真田くんは何か言っていたが、アキくんは容赦なくスマホの電源ごと落としてしまった。

実はこれも予定通りだったりする。試合が無事に終わったら真田くんと二人で話す時間がほしいと、素直から申し出があったのだ。

話したい内容について、私には教えてくれなかったけれど。

「素直と真田くん、なに話すのかな」

「だいたい想像はつくけど」

えっ、と驚いた。想像の「そ」の字も私には閃いていないというのに。

「たぶん愛川は、レプリカとの向き合い方を秋也に訊いてるんだと思う」

レプリカとの、向き合い方。

セカンドとの向き合い方。私との、向き合い方？

「別に、秋也のやり方が正しいわけじゃないだろうけど。自分と同じような立場に置かれた人間の話は、少しは参考になるだろ」

そういえばアキくんは生まれてから一度も、真田くんに消されたことがないらしい。

平日は毎日、真田秋也として学校に行く。帰ってきたら真田くんの部屋で読書をするか、早めの入浴を済ませる。

家族との夕食の時間はアキくんが過ごし、真田くんはアキくんが買ってきたコンビニのおにぎりやサンドイッチを自室で食べている。夜、アキくんはベッドで寝て、昼夜逆転生活を送る真田くんは勉強している。

まるでアキくんが真田くん本人で、真田くんはその影として、息を潜めて生きているみたいに。

「もし一回消されてまた呼ばれたら、俺ぽっちゃりになるよ」

と、アキくんは肩を竦めていた。真田くん本人は引きこもり生活によって、スポーツマン時代の体型を維持できていないようだ。

真田家は裕福な家庭で、アキくん用のスマホを買うのも真田くんのお小遣いだけで事足りた。それ以外にも食事代や遊ぶ用のお金など、両親から渡される分を折半してアキくんに支給するようにしていたようだ。

学校生活は好きに過ごせばいいと言われていたので、アキくんは文芸部に入部した。本は好きか。

問う私に、別にフツーだとアキくんは答えていた。

でも彼が部室にやって来たのは、たぶん気まぐれではない。理由は、やっぱり私だけが知っているように思う。

レプリカだって、自分だけの居場所がほしい。偶然だったとしても、彼が足を運んだ先が文芸部室だったことを私は誇りに思う。

「ありがとな、ナオ」

「え？」

「俺、バスケやるの初めてだったから」

金曜日にも聞いた。純粋に真田くん自身の実力で勝利できると証明したかったから、練習さえしなかったのだと。それを聞かなければ、今日はこんなにも緊張しなかったことだろう。

「勝てるかどうかなんて分からなかった。めちゃくちゃ不安だった。ナオの応援があったから、乗り越えられた」

その言葉に、びっくりする。

「聞こえたの？」

「聞こえた。最後、入れ、って叫んでたろ」

なんだか惚けてしまった。

私の声は、アキくんの胸の真ん中まで届いていたのだ。

込み上げてくる嬉しさの波が荒れ狂って、流されていって、体育館の物言わぬ壁にぶつかりそうになる。

不様にぶつかりたくはなかったので、全力で怖い顔を作った。試合をしたことで、アキくんの足に大きな負担がかかってしまったのは事実なのだから。

「かっこよかったけど、もうこんなの駄目だから」

「分かったよ」

「二度とやらないでよ」

「分かったって」

そのあと私たちは教室に戻って、それぞれの席で慌ただしくお弁当を食べた。卵焼きに小さな殻が入っていたけれど、取りだす暇もなかったのでそのままかみ砕いてしまった。カルシウムたっぷりだから、健康にはいいはずだ。

なんだか不思議だった。

あんなことがあったのに、時間はいつも通りに流れていて、いつも通りの午後の授業と、いつも通りの放課後を過ごす。

部室ではしばらくバスケの話で盛り上がったけれど、それも長続きはしなかった。いよいよりっちゃんが小説を書き終わったことのほうが、私たちには重要だったのだ。

主人公たちの二つ名は、ダブルでもドッペルゲンガーでもなく、デュアルに決まった。眼鏡を光らせたりっちゃんによると、「オシャレな響きが決め手です」とのことだ。

デュアルというラテン語には、二重という意味だけでなく、二者という意味があるそうだ。

一も二もなく賛成した私は、張り切って小説を読んだ。

小説は推敲を重ねて、締め切りの近い小説賞に応募する予定だという。

無事完成しますように、と私たちはお賽銭箱に向かってそうするように、扇風機に両手を合わせて祈った。この夏、一生懸命に首を振りたくって私たちを救ってくれた命の恩人である。そろそろ仕舞わなくてはならないけれど、愛着が湧いていたし、部室内の収納がどこも空いていないのだった。

盛り上がった部活の帰り道、バス停に向かう背中に声をかけた。

「最寄り駅まで送るよ」

振り返ったアキくんが目を丸くする。

時折、こっそりと右足に触れていたのに気がついていた。反対されても譲る気はなかった。駐輪場で心細げにしているだろう自転車には申し訳ないが、今晩は野宿をお願いする。雨風を凌ぐ屋根だけはある。明日の朝は素直か私、どっちが登校するか分からないけれど、電車とバスで登校すればいいだけだ。

素直には、ちゃんと事情を説明してお願いしよう。

そんな風に思える日が来るなんて、今までは思ってもみなかった。

素直が、私との向き合い方を考えてくれているなら。私も、考えなくてはならない。

今までは素直の生活に波風を立ててはいけないのだと、どこか病的なまでに思っていた。

でも、そんなのは不可能なのだ。私が素直にたくさんの影響を受けるように、素直だって少なからず私の余波を受ける。

二人に分かれているのだから、お互い波しぶきだって浴びるだろう。いいことばかりじゃ、いられない。

アキくんはしばらく考える顔をしていたけれど、首の後ろに手を当てて答えた。

「じゃー、頼む」

「頼まれた」

ふざけて敬礼した私は、隣を歩く。彼がふらついても、すぐに支えられるように。

停留所に他の人影はなかった。バス通学の生徒は、自転車通学の生徒に比べて格段に少ないのだ。

間もなく、定刻通りにやって来た静岡駅行きのバスに二人で乗り込んだ。あの日の動物園行きのバスほどではないが、車内は空いていた。

最後尾の席に並んで座る。

昼休みの疲れか、アキくんはバスが走りだすと同時に腕を組んで目を閉じた。

「寄りかかっていいよ」

アキくんが、こっちを向いた気配がする。

「膝枕でもいいですけどね」

少し震えた声は、悟られただろうか。

アキくんが心持ち、私のほうに傾く。腕と腕がぽすっと控えめに当たる。

いちばん近い、熱い身体。淡い石けんじゃない汗くさい彼も、やっぱり好きだと思った。

両目を閉じた彼はどこか満足げでもあった。荷物を下ろせたような安心感を全身にまとっていた。

復讐は、終わったのだ。

アキくんは人を殴らずに済んだ。真田くんも少しだけ、気持ちが楽になっただろうか。

「これから、どうなるかな」

答えはなくてもいいと思っていた。曖昧に濁されることを、期待していた側面もある。

でもアキくんは、存外きっぱりとした口調で返してくる。

「秋也は、俺を消すと思う」

聞きたくない言葉を、私は聞いている。

「たぶんあいつは立ち直れる。自分で足を踏みだして、学校にも行ける。そうしたら俺はもういらなくなる」

怖気が走った。全身の穴という穴が開いて、ぶわぶわと鳥肌が立つ。

いやだ、と言いたい。喉が裂けるまで叫んで反対したい。

だけどひとつも言葉にできなかったのは、アキくんの身体が震えていたからだ。

もっと早く死ぬべきだったのになぜ今まで生きていたのだろう。

「よくある話だ。主人公はニセモノの自分と一体化して、物語はハッピーエンドを迎える」

「どんな本を読んだの？」

不用意に大きな声が出る。前の席のおばあさんが、うっとうしげに肩を揺らす。

「破り捨てるから、タイトルを教えて」

アキくんは静かに笑う。何もかもやり遂げたような清々しい表情が、私には信じられなかった。

認めたくない。私たちが、最後は吸収されるためだけに存在しているだなんて。

都合良く物語のスパイスとして消費されるためだけに、今まで生きてきただなんて。

沈黙のまま、バスはほどなくして駅の南口に着いた。

混み合う改札口を通り抜け、エレベーターを使ってホームに上る。アキくんは大袈裟だと呆れたように言うが、怪我人なのだから大袈裟も何もない。

黄色い数字の十二番で立ち止まる。帰宅ラッシュに当てはまる時間帯だからか、続々と後ろに人が並ぶ。私と彼を先頭に、列がぐんぐん伸びて混雑していく。

足元に重いバッグを置いて、ホームから空を見上げる。静岡にはそんなに高いビルもないはずなのに、ビルとビルの間に挟まれた夕空はぺちゃんこになっていて窮屈そうだった。

「映画とか行きたい」

アキくんは、誰よりも優しいその人は、聞こえない振りをしなかった。

「今から行く？」

「ううん。明日、行こう」

頬をかいている。私は今、彼を困らせている。

約束をしなければならないと思った。アキくんと明日も、明後日も、その先も会う約束を。

本当はそんな約束はできない。してはいけない。明日、素直と真田くんが学校に行くのなら、もしくはどちらかが学校に行くのなら、この約束は叶わない。

不自由だな、と思う。だけど分かっている。素直も真田くんも神様じゃない。私たちの願いを、なんだって叶えて、完璧な答えを出せたりはしない。

彼女たちだって本当は、ただの高校生だ。

みんな不自由なんだな。人間だって、レプリカだって。

夕陽に照らされた、にきびのひとつもない頬を見やる。

何があろうと私は、この人の傍にいたい。

「なぁ、」

そのとき、彼は何を言おうとしたのだろうか。

何かを言いかけたのだと思う。

その言葉を遮るように、どん、という音がした。

アキくんの身体が、おかしいくらい前方に傾いでいた。私だけがそれを見ていた。

思考らしい思考は彼方に追いやられていた。

なんにも、私は、まともに考えていなかった。

落ちていこうとするアキくんの腕を、全力で引っ張り上げただけ。ただそれだけ。

反動でよろめいた、ローファーの踵が宙に浮く。丸まりたがる踵。隙あらば私を丸め込もうとする、にっくき踵。

彼が何かを叫んでいる。半身をひねって振り返れば、必死の形相が見えた。

瞳がにじむほど強いライトを浴びる。自分の全身ごと照らされているような気がして、目をつむることもできなかった。

グレーにオレンジのライン。見慣れた車体が眼前に迫っている。

そうして私は、

俺は、呆然としていた。

呼吸の仕方を忘れたまま、ホームに突っ立っていた。

耳障りな急ブレーキの音が、頭の中で細い煙みたいに尾を引いている。

人が落ちました、と誰かが甲高い声で叫ぶ。きゃあ、と呼応するような悲鳴が上がる。駅員がばたばたと走り、スマホを手にした何百人もの目が、線路内を探るように見下ろす。

今、落ちたよね。見えたよね。やばい。飛び込んだのかな。自殺って、勘弁してよ。電車って何分くらい停まるもんなの？　このあとバイトあるのにサイアク。

肉片とか血痕とか飛び散るものらしいよ。やば、絶対キモい。トラウマになるって。でも誰もいなくない？　車体の下に挟まってるとか？　ふつうは広範囲に肉片が散らばって……。

ざわめきが、ざわめきが、好き勝手なざわめきが飛び交っている。

息が荒くなり、視野が狭まっていく。うまく立っていられず、俺はその場に膝をついたが、騒ぐ乗客たちは誰も俺のことなど気にしていなかった。

「ナオ」

隣を見ても、いない。

「ナオ」

車体が滑り込んだ線路を見下ろしても、返事がない。

「ナオ」

うん、と柔らかな声音が、いつまで経っても聞こえてこない。

けれど確かにいたのだ、彼女は。俺の隣で映画とか行きたい、と囁いて、不安げにこっちを睨みつけていたのだ。

そんな彼女がかわいくて、かわいそうで、胸が詰まって苦しくなった。今すぐにでも抱きしめてあげたかったけれど、それこそ別れを示唆する行為になってしまいそうで、拳を握って堪えていた。ほんの数分前の出来事だった。

駅員と乗務員が何かを話している。線路に入った駅員は何かを手にしている。

それが破れた制服の切れ端だと気がついて、ようやく、呼吸の仕方を思いだした。

こんなところで固まっている場合じゃない。

少しでいいから冷静になれ。

「……ああ」

白い布の切れ端には煤けたような跡があるが、赤いものは付着していない。のろのろと首を巡らせてみても、彼女の死を意味する何かは見当たらなかった。

じくじくと右足が痛む。踏ん張った際に思いきり体重を乗せてしまったせいだ。昼休みのバスケで負担をかけたのも、痛みに拍車をかけている。

線路内に落ちかけた俺の肩を、ナオが引っ張って救ってくれた。おかげで俺は無事だった。

でも俺は疲れてふらついたわけではない。何者かに突き落とされたのだ。

背中に手形のインクでもついているように、今もくっきりと感触が残っている。明確な悪意によって刻まれた手形の持ち主は、あの瞬間、俺を殺そうとしていた。

今さら振り返ってみても、いくつもの知らない顔が騒ぎ立てているばかりで、この中から犯人を捜すのはひどく困難だろう。

それに俺が茫然自失としている間に、とっくに逃げだしているはずだ。間抜けな自分に腹が立ったが、もし犯人の顔を見ていたとして、自分がとっさに動けていたとは思えない。

俺は左足を軸にして、ふらふらと立ち上がる。ナオのスクールバッグを肩にかけた。

電車はしばらく使えないだろうが、一刻も早く確かめなければならないことがある。

ホームをあとにして向かうのは北口のバス乗り場だ。乗り場案内を見て、用宗行きのバスを探す。

本当なら走って向かいたいくらいだが、足に怪我を負った身体で走るよりも、バスのほうがよっぽど速い。そう判断できるだけの絞り滓のような冷静さが、手のひらに残っていた。

幸い、すぐに用宗線のバスを見つけた。駒形通を経由して用宗駅に向かうらしい。平日の夕方は一時間に一本しかないが、幸いにも十分ほどでバスターミナルにバスが入ってきた。

およそ三十分で用宗駅に着くようだ。病院帰りらしい、腰の曲がったおばあさんに続いてオレンジ色のルルカカードをタッチして乗り込み、手近な席に座った。

ルルカカードは、バスだけじゃなく静岡鉄道こと静鉄に乗るにも使えるし、駅チカにある商業施設セノバで買い物をするとポイントが貯まるカードだ。曜日によってはルルカカードを見せるとセノバの映画料金が安くなるから、高校生にとってマストアイテムでもある……。

君は、私に会うために生まれてきたの。

私と映画館に行くために。

空転する思考を照らしだすみたいに、涙で掠れた声が頭の奥で響いた。

本当は最高のヒーローを気取って、出番は終わったからと潔くぜんぶ諦めて、借り物の人生なんて手放すつもりだった俺を、どこまでも諦め悪くさせてしまった女の子の声だった。

俺はナオに、言おうとしていたのだ。

なぁ、なんの映画にする？　と。

肩を揺すられて、意識が戻ってきた。気遣わしげな顔をした運転手と目が合い、逃げるようにバスを飛び降りる。また右足首がじんと痛んだ。

数日前に訪れたばかりの白くて小さな駅は、温かみのある煉瓦色の屋根を乗せて知らん顔をしている。

見上げたところで、はっとした。自分がやはり冷静でもなんでもないことを、突きつけられるようだった。

ポケットから取りだしたスマホを操作する。

いやになるくらい長い呼びだし音のあと、相手が電話口に出た。

『なに？』

よく尖った枝の先みたいな、澄ました声が聞こえる。

「ナオが、死んだかもしれない」

まだ見慣れない用宗の景色が歪んでいて、俺は自分が泣いていたことに気がついた。

第5話　レプリカは、夢を見る。

私は、目を開く。

でも、どうして目を開けるのかが分からない。

どうして。だって私は、もう。

視界はぐちゃぐちゃにぼやけている。何度瞬きをしても焦点が合わない。一気に視力が下がったのかと思うほど。

理由はすぐに分かった。

しわくちゃのパジャマの袖で顔を拭うと、真っ正面に素直が立っていた。

目の前の青紫色の唇がほんのわずかに開く。酸素を求めたのかと思った。しかしそうではなかった。

「よ」

素直が、なんて言おうとしたのか。なんて続けようとしたのか。

私には分からなかった。私はいつも、素直のことが分かっていないから。

急に素直がその場に蹲った。猫足のテーブルに肘がごつんと当たり、手にしていたスマホが絨毯の上に落ちる。

「どうしたの、素直」

素直は痛いとも言わないで、丸めた身体をぶるぶると震わせている。

「ど、あ、お」

それは言葉ではなかった。獣の呻き声に似ていた。

混乱しながら、私は素直の記憶を辿ろうとする。

そのとき、ドアチャイムが鳴った。こんなときに限って。素直は震えるばかりで動けそうにない。私が、代わりに出なければ。

部屋を出て階段を下りる。下りている最中にパジャマ姿だと自覚したが、着替える暇がない。

パジャマ姿。私はつい数秒前まで、アキくんと静岡駅のホームに立っていたはずなのに。

制服を着ていたのだ。清潔な白シャツ。チェック柄のプリーツスカート。胸元にはターコイズブルーのリボン。踵が丸まったローファー。髪型は、ハーフアップ。

結っていない髪の毛をなびかせながら、私は裸足で玄関を開けた。

開けたドアの先に、ぜえぜえと激しく息をするアキくんの姿があった。

見開かれた両目から涙が溢れている。目の前にいる彼は、立っているのも限界というようにすり切れて見えた。

「良、かった」

うろうろと手が伸びてきて、私は彼の腕に抱きしめられていた。

「良かった。良かった。ごめん。良かった、ごめん、ごめん」

石けんじゃない、濃い汗のにおい。不安と恐怖が入り交じった、におい。

どうして彼がここにいるのか。私は答えを誰に聞くでもなく、素直の直前の記憶を辿って知っていく。

アキくんを庇った私は、電車の入ってくる線路に落ちた。

私の死体は見つからなかったそうだ。

線路上に落ちていく姿は多くの人に目撃されていた。駅員は女子高生が落下したとの通報を受けて線路沿いを回ったが、見つかったのはボロボロの制服やローファーだけ。車両は検査を行うため車庫に送られたが、下り電車は一時間ほどで運転を再開した。

小刻みに震える肩から視線を下ろす。足元には見慣れたスクールバッグが転がっていた。

どんな気持ちでいたのだろう。どれほど自分を責めて、苦しんだのだろう。素直にスマホ越しに状況を説明する彼の声は、聞き取りが難しいほど震えていた。

アキくんに家の場所を教えて、すぐ来るようにと伝えたのは素直だった。

アキくんは、犯人の顔を見ていなかったという。

素直の記憶も途切れ途切れになっている。素直が動揺すると、記憶も混濁する。ページをめくっても文字と呼べる文字はなく、引っかき傷のような乱暴な跡だけがページを縦横無尽に切り裂いている。

逞しい腕に抱きすくめられたまま、私は溶けない氷の彫像のように固まっていた。喉は凍りついていて、耳元は張り詰めていて、目はここじゃない光景を今も見ていた。見た。

私は、アキくんを突き落とそうとした人物の顔を見ていた。そいつは彼の後ろに立っていた。笑っていたのだと、思う。三日月のように歪んだ口元。大きく膨らんだ鼻の穴。不気味に見開かれた瞳。

どっと冷や汗をかいた。あの瞬間を思いだすだけで、恐怖のあまり叫びたくなる。でも凍りついた喉はちっとも動かず、喉の奥にぺたりと貼りついてしまった悲鳴は、居場所を失って萎んでいった。

一分が経ったのだろうか。あるいは十分か、一時間だったのかもしれない。

アキくんは家に帰ることになった。お母さんの帰宅時間が近かったからだ。クラスの男子と玄関で抱き合っているところなんて見たら、お母さんは卒倒してしまう。

私はアキくんを玄関で見送った。彼はまだ心配そうにしていたから、笑顔で手を振った。SLを見たら、必ずそうするように。

笑顔で、振れていたのだろうか。本当に？

今すぐ洗面所に駆け込んで、鏡を確認したかった。

バッグを持ち上げると、後ろに素直が立っていた。

「素直、ごめん。制服とか靴とか、いろいろ駄目になっちゃったみたい」

何も言わず、素直は疲れたように首を横に振った。目蓋が腫れぼったい。私も、同じだけ。

素直が差しだした手に、私はバッグの持ち手を引っかける。

「先にお風呂入ってきて」

「えっ」

お風呂なんて小学生以来だ。素直と行った実験。レプリカは、脇の下にあるほくろも再現しているのか？

「いいの？」

「いいよ」

本当にいいのだろうか。躊躇いながらも素直の言葉に甘えることにした。全身が妙に汗っぽくて気持ち悪かったのだ。

あのおぞましい目が、今も私を捉えている。

素直はお風呂を沸かしてくれていた。私は洗面所で着替えた。着ていたパジャマや下着は洗濯かごに入れた。私が消えるまで残ってしまうけれど、素直は構わないと言った。

お風呂場では最初に洗顔をする。スポンジを泡立てて身体を洗っていく。髪の毛をシャンプーする。洗う順番は素直と同じ。身体そのものに染みついた習慣は、再現するという気概がなくても私の手足を動かしていく。

トリートメントを洗い流しながら、そういえば鏡を見ていないことを思いだした。でも見る必要はなかった。

今の私は、ひどい顔をしている。唇をきつく噛み締めていた彼の顔を見れば、それくらいは分かる。

片足ずつをちゃぽんとお湯の中に入れて、湯船に浸かった。温泉の素を入れた乳白色のお湯。

どんな効能のあるお湯なのか。きっと肩こり、筋肉痛、ストレスの解消……。

湯気でふやけた目蓋を閉じてみても、あの光景が消えなかった。笑う唇。にやけた目。

お風呂上がりにはスキンケアをして、素直の予備のパジャマを着た。先ほどまでのグリーンじゃなく、グレーのパジャマだ。

ドライヤーを使う。熱風にふよふよと浮き上がる髪の毛を、ヘアブラシで宥めすかす。

部屋に戻った私を迎えたのは、仁王立ちした素直だった。

身構える私に、素直は予想外のことを言い放った。

「寝て」

指差す先にはベッドがあった。素直が眠るベッド。お腹が痛くて丸まる素直をあやしてくれる、ふわふわのベッド。

そのとき、私は間の抜けた顔をしていたのだと思う。

「いいの？」

面倒くさいな、といいたげに素直は了承した。「いいんだよ」

雲の上のように居心地がいいのだろうと想像していたベッドは、そうでもなくてわりとフツーだった。フツーに布団で、フツーにふかふかしていた。枕は素直の頭がすっぽりと収まる形に凹んでいた。

博物館に展示されるみたいに枕に収まる私を、黙って素直は見ている。身体に薄い布団をかけてくれる。そのせいか、風邪を引いているときのような、心細い気持ちになった。

「素直は、一緒に寝ないの？」

素直の手の動きが止まる。意外そうに、私を見る。

「夕飯あるし」

そうだった。もうお母さんは帰ってきているだろうか。一階の廊下を歩いたはずなのに覚えていない。よくよく思いだすと、おかえりという声を聞いたような気もする。

素直の記憶の中。お母さんは自分が遅くに帰ってきても、必ず素直にはおかえりと言う。たーいま、と素直はわざと舌っ足らずに返す。それが二人の日常。

「あんたはお腹空いてる？」

「ううん、へーき」

彼の口癖が私に移っている。平気じゃなくても彼は平気だって、あっけらかんと言う。

私も、そうだ。

今は平気だと、言い張っていたい。

「素直じゃなくて良かった」

「は？」

初めて、素直の「は？」が怖くないと思った。

そのせいだろうか。間を空けずに口を開けたのは。

「突き落とされたのが、素直じゃなくて良かった」

私で良かった。アキくんじゃなくて、素直じゃなくて、私で。

近くで、深く息を吸う音がする。息を吐く音がする。

「私も、良かった」

そうだよね。

「あんたが消えちゃわなくて、良かった」

顔を向ける。耳の後ろで、髪の毛が擦れる音がする。

私を見下ろす素直の目に、涙が浮かんでいた。

「良かった」

さっきは途中までしか聞けなかった素直の言葉を、今、私は聞き直していた。

「ごめん。ずるいこと言ってると思う。あんたのこと、ずっと怖がってたのに」

素直が私を、怖がっていた？

「私が、得体の知れない生き物だから？」

考える素振りを見せて、素直は「ううん」と否定する。

「そうじゃなくて、怖くて羨ましかった。誰よりも素直で、優しい女の子でありますようにって……お母さんとお父さんはそう願って、私に名づけたから」

小学三年生の頃に、国語の授業の課題になっていた。自分の名前の意味を調べましょう。家族が込めた大切な願いを知りましょう。

全員が画用紙に調べてきた事柄をまとめ、参観会で発表した。素直の発表が終わったあと、お母さんは何度も手を叩いていた。拍手の音は、祝福そのものだった。

素直はたくさんの人の願いや希望に包まれて、この世に生まれてきた女の子。

「あんたのほうが、私よりずっと愛川素直らしかった」

そんな風に、思ってたの？

素直の孤独に私はちっとも気がつかなかった。いや、素直に孤独と寂しさを感じさせたのは、私自身なのだろうか。

「最初に会ったときから、素直は私の妹みたいだったね」

こっちを見つめる膨れた涙袋をつついたら、弾けてしまいそうだ。

「一目見て、助けたいと思ったの。りっちゃんと仲直りして、早く笑ってほしいなって」

「やっぱりナオは、私とは違うね」

告げられたのは突き放すようでいて、その逆の響きを持つ言葉だった。

私のことを、ナオ、と呼ぶ素直の声が、昔の私は好きだった。

「私は、りっちゃんのことも、盗られたような気持ちになってたのに」

「……どうして？」

「本なんて、私、読まないもん。たぶんもう、りっちゃんとは話も合わない。話したって、りっちゃんはつまんないって思っちゃうでしょ」

引きつったような泣き笑いを浮かべる素直に、ぎゅっと胸が締めつけられた。

素直は、そんな本音をずっと自分の中に押さえ込んできたのだ。

文芸部の話を聞きたがらなかったのは、興味のない振りを装って、自分の心を守るため。

羨ましくなんかない。私は悔しくなんかないって、言い張るために。

「本当は仕返しに、お金も盗ってやるつもりだった」

なんの話か、唐突で分からない。

「私のディズニー缶に貯金してるの、前から気づいてたし。夏休み前、バッグに入ってた万札……見つけたとき、一枚くらい勝手に使ったっていいと思ってた」

初めて聞く話だった。

やっぱり私は、素直のことを何も知らない。

「どうして、そうしなかったの？」

「恥ずかしくなっちゃった。人のお小遣いを平気で盗もうとしたことが」

人のお小遣い。私の全財産のことを、素直はそう呼んでくれた。

「真田にも言われたよ。レプリカを自分の分身として使うなんて無理だと思うって。真田のレプリカも、真田よりかっこいいんだって」

「それは、うん、そうかも」

真田くん自身のことは、よく知らないけれど。

正直に呟く私に、少しだけ素直が笑った。

数か月前に生まれた真田くんとアキくんですら、それだけの変化を抱えているのだ。小学生の頃に生まれた私と素直は、きっともっと、ずれていっている。同じなのは姿形だけで、見えないものは日に日に変わっていく。

「素直、大学に行きたいんだよね」

素直は鼻の頭にきゅっと皺を寄せた。不細工だった。

でもレプリカに隠し事は通じない。私は素直の気持ちをなんにも知らないけれど、素直が見たものや聞いたことについては誰よりも詳しい。

「やりたいこととか、見つかんないの。親のお金で、モラトリアムの時間を作りに行く」

わざと斜に構えた言い方をする素直は、夏休みの宿題や課題にひとりで取り組んでいた。喧嘩別れした私を頼らなかった。

そうしたら俺はもういらなくなる。アキくんの言葉が、胸に甦った。

「夢が見つかるよう応援してる。あと、勉強がんばってね」

「うるさいなぁ」

素直は、不細工でもかわいい。

「あと、言っとくけど私が姉だからな」

「えっ」

「いやそうにすんな」

デコピンされて「いたっ」と私は悲鳴を上げた。

赤くなる前の額を通り越して、私の頭を素直が軽く撫でた。

「ありがとうね、ずっとがんばってくれて」

涙声は、私の聞き間違いだったのかもしれない。

聞き返す前に、素直が部屋の明かりを消してしまう。小さいオレンジ色の常夜灯だけが、私を見下ろしている。

頼りない気持ちになって、布団の端っこを摑んだ。

「駄目にした制服とかローファー、私のお金で買い直せる？」

夏服は二着あるけれど、ローファーは家にひとつしかなかった。

「お母さんには話しとくから、気にしないでいいよ」

突き放されたとは思わなかった。素直の声音はいつになく柔らかかったから。

素直が控えめにドアを開けて、おやすみを言って部屋から出て行く。

眠れないと思っていた。でも、身体は疲れ切っていたのだろうか。間もなくしてとろりと目

蓋が重くなっていった。上の目蓋と下の目蓋が出会うたびに、離れたくないと訴えかけてくる。

素直の命令によって消される瞬間とは、違う。

少しずつ身体が重くなっていって、代わりにふわふわと頭の中身だけがわたあめみたいに、際限なく膨らんでいく感覚がした。

私は眠った。

生まれて初めて、夢を見た。

それが夢だとすぐに分かったのは、あり得ない光景が広がっていたからだ。

場所は教室。見慣れた正方形の箱の中に、制服姿の私は素直と並んで飛び込んだ。

おはよ、おはよう、おはよー。クラスメイトと明るく挨拶を交わす。

黄色いシフォンケーキみたいな声と笑顔。弾力があって、かわいくて、甘ったるいケーキがぽよぽよ飛び交う。呑気にケーキをかじりながら、私たちは隣同士の席に着く。

私が目を向けた先には、アキくんと真田くんの姿がある。無表情の二人が顔を突き合わせて話しているのはどうにも威圧感があって、私と素直は顔を見合わせて笑う。

駆け寄ってきたりっちゃんが、お菓子をお裾分けしてくれる。

チョコレート、キャラメル、チョコチップ入りのクッキー。あと、プリッツも。

ポッキーが大好きな素直が、かりかりと先端をかじっている。

視線に気がつくと素直は、次の一本を私の口元に持ってくる。

なんにも言わないでいると、唇をちょんとつつかれる。さっさと開けて。

本当にいいの、と私は訊ねた。

いいよ、と素直は言った。

おそるおそる開いた口の真ん中に、ポッキーが入り込んでくる。舌の先で溶けて、唇にちょこっと色がつく。甘いチョコレートの味。

おいしいね。そうだね。

なんにもおかしくないのに、私たちはくすくすと笑い合う。

プリッツが好きな私は、その日、ポッキーも大好きになる。

教室が揺れる。りっちゃんがぶちまけた原稿用紙が、花吹雪みたいに舞っている。

先輩たち、これ読んでくださいよ。待ってましたとばかり、私とアキくんが率先して立ち上がる。躊躇う素直の手を、私は引っ張って連れて行く。

なんて幸せな夢なんだろう。

私はずっと、こんな風に生きてみたかった。

私はずっと、みんなと、生きてみたかったのに。

翌日。

素直が普段使いしている白いスニーカーを履いて、私は登校する。

教室で昨日の電車事故について、話している人はいなかった。

幻の女子高生が電車と接触したが、着ていたものだけを残して忽然と消えた。そんなオカルトじみたニュースは、わずかに目撃者の間に広まっただけ。昨夜行われたサッカー日本代表の試合のおかげで、まったく話題にもなっていない。

不安げにこちらを見ているアキくんに笑顔だけ向けて、私はバッグを机の横にぶら下げると、手首に通していたゴムで髪をハーフアップに結んだ。

空色のシュシュは制服と一緒に失った。味気ない黒のゴムで髪をきつく結んで、立ち上がる。

ホームルームが始まる前に、済ませたい用事があった。

教室を出て階段を上る。ちり取りを忘れた生徒たちに放置された埃の山が、私が通るたびずるずると段を滑り落ちていく。

見える世界に、違和感があった。目の中に薄い硝子の板を仕込んでいるような感じ。眼球がごろごろするけれど、硝子越しであるならば、誰にも私の感情は悟られない。

緊張しちゃいけない。微塵も動揺してはいけない。

私はただの女子高生のように笑わなくてはいけない。

見慣れない顔がひしめく廊下を歩いていく。

目の前の教室から出てきた人影とぶつかった。目当ての人物だった。

相手がこちらを認識する前に、私は口の端っこを天井に向けてつり上げた。

あざとくてかわいい後輩ぶって話しかける。

「早瀬先輩、おはようございます」

そのおはようは、シフォンケーキとはほど遠い。

強いて言うなら、フライパンの中に置き去りにした目玉焼きに似ている。固くて、つついても素っ気なく跳ね返してくる焦げついた目玉焼き。

反応は劇的だった。

「え、は、ちょ、なんで」

目の前にいるのが私だと分かったとたん、早瀬先輩は愕然としていた。迫力あるオフェンスを前に構えたとき以上に大きく、逃げるように後ろに下がっている。

がん、と背中がドアにぶつかる。大きな物音に教室中の生徒が目を向ける。

注目を浴びている間も、早瀬先輩の目玉はぎょろぎょろと落ち着きなく動き回っていた。

焦点を私に合わせるのを、おそれているみたいに。

事実、早瀬先輩は戦慄していたのだろう。昨日は夕方のニュースを確認して首を捻ったに違いない。線路内の点検のため、一時的に列車の運行に乱れが生じました。どこのチャンネルでも、ぐちゃぐちゃになった女子高生については一言も報道していなかった。

私は、この人を安心させるために三年生の教室にやって来たわけじゃない。

誰に裁かれるでもない罪を、いい人ぶって見過ごしてはやらない。徹底的に嬲るために、ここに来た。

目と口と鼻の穴を広げ、硬直している早瀬先輩の耳元に。

背伸びをして、内緒話するみたいに顔を寄せる。

「私を殺してくれて、どうもありがとうございます」

自分の声とは思えないほど、薄ら寒い声音が口元から落っこちていった。

「うわあ！」

分かりやすい悲鳴を上げて、早瀬先輩はその場にどすんと尻餅をついた。

どうやら腰が抜けたらしい。立ち上がれないまま音が出そうなほどに震えている。歯の根が合わず、実際にがちがちと鳴っていた。

常軌を逸した様子に、教室内がざわざわと喧噪を増す。昨日の試合での一幕が尾を引いたのか、誰も駆け寄ってきたりはしない。

私は震えるばかりの不様な男を、冷たく見下ろしている。

何も感じない。怒りも、悲しみも。何もなかった。

そういえばアキくんは引きこもる真田くんについて、こんな風に評していたっけ。

胸の中が、空洞みたいになっちゃったんだ。

私もそう。

この男は、私を、空洞だらけにした。

「すごく痛かったですよ」

口にする言葉。笑う口元。床についた足。揺れる髪の毛。

ぜんぶ、切り離されている。本当の私は何も言っていないし、笑ってもいない。泣くことすら。

「ゆ、許してくれ。許してくれ」

「もしも彼が死んでいたら、私があなたを殺してた」

「うあ、ゆ、ゆ、許してくれ！」

それしか言えなくなったつまらない男の人から、私は視線を外す。

これでもう二度と、早瀬先輩は真田くんにもアキくんにも近づかないだろう。彼らを傷つけたりは、しないだろう。

少しだけ安心したら、気が抜けた。

震える身体を抱きしめて、一目散にトイレへと向かう。

便器に向かって、私は空っぽの胃の中身を吐き続けた。泡立った黄色い胃液が糸を引いて、気持ち悪さはいつまでも拭えなかった。

放課後は、文芸部室。

「りっちゃん、小説は応募した？」

訊ねると、りっちゃんが不思議そうに顔を上げる。

「まだですー、推敲が終わらなくて」

「そっか」

残念だと思ったけれど、口には出さない。何かがおかしいと、りっちゃんは察してしまうかもしれない。

「完成したら、いやがっても椅子に縛りつけて朗読しますからね」

なはは、と笑うりっちゃん。

いつも通りの部活の時間が流れていく。下から上に。右から左に、左から、右へと。ぐるぐるぐる。笑い声が響く。のろのろで、なよなよな時間。私の、大事な時間。

職員室に鍵を返したら、自転車を迎えに行く。ホイールが回る。私はアキくんとりっちゃんに片手を振って、笑顔で別れを告げる。

アキくんが何か言いたげに、こちらを見ている気配を感じたけれど、私は一度も振り返らなかった。振り返ったら、決意が揺らいでしまう気がしたから。

ホイールが回る。からからから。一回、二回、三回聞こえて、足を地面に着けた。

いつの間にか、私は家の前に立っていた。

自転車に鍵をかけて、ぬくいサドルをぽんぽんと撫でる。ごめんね。少しの間だけ、潮風を浴びても我慢してね、と心の中で語りかけた。

その場に自転車を置いた私は、まっすぐ海への一本道を歩いて行く。

用宗には、傘を差していたらすれ違えないくらい細い路地が多い。

海辺の町だから、津波の勢いを殺すためにそういう造りになっているのだと、どこかで聞きかじったことがある。本当かどうかは分からない。今のところ私が生まれる前もあとも、近隣で大きな津波の被害が出たことはない。

波音が少しずつ大きくなっていく。堤防近くの公園には横並びで松の木が生えている。防潮林といって、塩害に強い木を植えて、津波や高潮の被害を防ぐのだという。来ると言われて数十年が経った東海地震や、いつかやって来るかもしれない災害のために、海岸付近にはいろいろな工夫が施されている。

公園では二匹の犬を連れたおばあさんがお散歩していた。犬種はなんだったっけ。片方はコーギー。もう一匹の白くて顔のぺちゃっとしたほうは、思いだせなかった。

堤防から見下ろす海は赤くて、黄色い。夕焼けを一飲みする真っ最中だった。

もう少しで炎のかけらは消えてしまうだろう。砂浜を歩くカップルや、ぴっちりとしたウェアをまとって走る中年男性を見下ろす。高い波しぶきも、彼らにまでは手が届かない。

スニーカーで石造りの堤防を蹴りつけて、上へと登る。

しゃがみ込んで見下ろすと、意外に遠い砂浜が見えて、すうっと心臓のあたりが冷えた。

以前この堤防から、素直とりっちゃんが手を繋いで落ちたことがあった。落ちる瞬間をカメラで撮影すると、空を飛んでいるように見える。そんな度胸試しじみた遊びが、小学生の頃に流行っていたのだ。

密かな遊びは、ひとりの女子が落下時に硝子の破片で膝を怪我したことで、先生や保護者たちに露見してしまうことになる。全校集会まで開かれ、子どもだけでの海辺での遊びは全面的に禁止された。

私も一回くらい、落ちてみたいなと思っていた。でも危ないならよそう、とも思った。素直は私を優しいと評したけれど、私は素直と違って豪胆ではない。誰かが良くないことだと首を横に振るのならば、飛び込む気力が削がれてしまう。

視線を遠くに投げて、両足をぶらぶらさせる。

「線路には飛び降りたから、いいか」

思い残したことは、もう、ない。

つまらない呟きは、風に乗ることもなく消えていった。

しばらく、私は海を眺め続けた。浮かぶ小さな白い船。頭上を飛んでいくカモメ。

顔を動かしたのは、海辺を歩く誰かの笑い声が、聞こえないのに気がついたからだ。

私は、ひとりになっていた。夕陽はとっくに沈んでいた。辺りはだいぶ暗くなっていた。

どれだけ長い時間、ぼんやりとしていたのだろう。

私は堤防の上を渡って、五メートル先にある金属製の階段から砂浜へと下りた。

一歩ずつ踏みだすごとに、咎めるようにカン、カン、と錆びついた階段が耳障りな音を立てた。何かの警告のようだった。

波音。粘つく潮風。くん、と鼻を動かす。いつもは感じないしょっぱいような香りを、確かに鼻腔が感じ取る。ここまで近づけば、海の気配はずっと濃厚になっていく。

遠くで防波堤灯台だけが光っている。赤、緑、赤、緑。交互にステップを踏むようでまばゆい。足元に転がる数え切れない小石は、波飛沫で濡れた色の砂へと変わっていく。

泡立った波の端っこを踏みつける。

目を眇めて、じぃっと、テトラポッドのずっと先、沈んでいった水平線に目を凝らす。

雲に隠されて、月の光も射さない夜。

ああ。

夜の海は、まるで、怪物みたいだ。

黒い波が立つ。

巨人の手が、おいでと手招きする。静かな咆哮は少し物悲しかった。

この時間まで待ったのは、誰にも見つからないようにするためだ。

誰にも見られなければ、なんの問題もない。レプリカが人知れずいなくなっても、警察は行方を捜索したりはしない。

私は、『帰ってきた人魚姫』を頭の中に思い描いていた。

今まで何度となく、考えたことがあった。

アロイジア・ヤーンのドッペルゲンガーのように海に入っていけば、この私も、泡になって静かに消えていけるのかもしれない。

波打ち際で履き慣れないスニーカーを脱ぐ。靴下を脱いで、靴の中にたたんで入れる。

制服も、本来は脱ぐべきなのだろう。素直のものだ。でも人っ子ひとりいないとはいえ、外で肌着姿になるのは抵抗がある。

二着も制服を駄目にしてごめんなさい。

最後までごめんなさい。

許してね、素直。

素足で踏む砂はちくちくして、私を責め立てているようだった。

寄せては返す波の中に、ゆっくりと足を踏み入れていく。

夜の海は、想像していたよりも温かくて現実味がなかった。日光に当たる時間が長い分、温度が下がりにくいのだろうか。

しゃがんで海水をぺろっと舐めてみると、顔を顰めてしまうくらいしょっぱかった。

腰を伸ばして立ち上がり、進む。とっくに脛まで水中に浸かっている。

そういえば素直は、泳げないんだっけ。

中学校までの体育の授業は見学して、竿の長い掃除ネットを伸ばしては、プールに浮かんだハエやカメムシをおっかなびっくり捕まえていた。

私はどうだろう。

まだ泳げるのかな。

泳げないのかも。

泳げなければ、いい。

「ナオ」

乱暴なほど強く、腕を後ろに引っ張られた。

私は振り返った。

「ハーフアップのくせに、無視すんなよ」

肩で息をする彼がいた。

数分前から、私の背中に向かって怒鳴る声が聞こえていた。必死に呼び止める声がしていた。聞こえない振りをしていたかったのに、いつまでも波音に掻き消されてはくれなかった。放っておいてもくれなかった。

いつから、捜し続けていたのだろう。

アキくんに、私はぽつりと言う。

「私、消えることにしたよ」

「……なんで」

なんで？

私は歯軋りをする。分かってるくせに。

他の誰が分からなくても、君だけは分かっているくせに。

「人間って死んだら終わりなんだよね」

道徳の授業で習った。人も虫も動物も、命はひとつきり。だから隣人を慈しみましょう。大切に、手と手を取り合って生きていきましょう。

「私は終わらなかったよ。心のどこかで、自分を人間だって思い込んでたのにね」

笑えてくる。私は声を上げて、卑屈に笑った。

そのつもりだったけれど、アキくんは辛そうに眉を寄せていたから、私はうまく笑えていなかったのかもしれない。自分がどんな顔をしているのかさえ、もう、昨日から。

「違ったよ。ぜんぜん違った。レプリカは、死ねないんだ」

アキくんは答えない。答えられるわけがない。

きっとずっと、私も彼も怯え続けていた。

「私って、だれ？」

喉から血でも噴きだしているのだろうか。そう思ってしまうくらいに、痛い。

頭もお腹も、喉も痛くて、苦しくて、息ができなくて、わけが分からなくなる。

「私は、死ぬ前の私と、本当に同じ私なの？」

だって私、昨日、電車でミンチにされて死んだんだよ。

ぺしゃんこにされたんだよ。泣き喚きたいくらいに痛かったんだよ。確かに死んだんだよ。

私は、それを、鮮明に覚えてる。

でも私は再生された。オリジナルが呼べば、レプリカは何事もなかったように甦る。

だけど今の私は、ミンチになった私？

それともミンチになったことを記録しているだけの、私の振りをした私？

「私は、君と動物園に行った私？　君と部室で扇風機に当たって、りっちゃんの小説を読み合った私？　君のバスケの試合を見守った私？　私は、今もちゃんと、私？」

誰もこの問いの答えを知らない。

「ごめん」

喉がぎこちなく引きつった。アキくんの謝罪の意味を、うまく捉えられない。

波に浸かる足元は結氷に沈んだみたいに動かない。摑まれたままの腕だけが、じんわりと熱い。

そこだけ生きている。脈がある。生きて、鼓動している。憎たらしいほどに。

「俺のせいで、ごめん」

「アキくんのせいじゃない」

それだけは、違う。逆恨みされて突き落とされそうになった人が、悪いわけがない。

「それでも良かったたって思ってる。ナオが生きてたから」

「それは、ひどい」

「ごめん」

「ひどいよ」

「ごめん」

責める権利なんて、本当は私にはない。

だってもしもあの日、私の手が届かずにアキくんが目の前を落ちていったなら、私だって同じ行動を取ったはずだ。

真田くんの家に行って、アキくんを助けてと泣き叫んで、どこからともなく目の前に現れたレプリカを前に、目を見開いたまま硬直しているレプリカに、良かった、良かったと縋りついていたはずだ。

目の前のその人が、その人に違いないって。

信じて思い込むしかない。奇跡に感謝するしか、できない。

「じゃあ一緒に、泡になってくれる？」

詰るように口にして、私は嘲りの笑みを浮かべた。目を細めて笑いかけていた。

この優しい人に見捨てられたかった。右腕を掴む感触さえ振り落とせば、私は海で溺れるまでもなく消えていけるだろう。

アキくんが、握った手を離した。

「いやだ」

うん、そうだよね。

アキくんの答えを聞いた私は、彼に背を向ける。

冷たいとは思わない。心中しようなんて馬鹿なことを言ったから、幻滅されてしまったのだ。

これでいい。これで私は心置きなく消えられる。

生まれ育った町の海で、一粒の泡になれる。

膝が、お尻が、太ももが、温度もよく分からない水の中に浸かっていく。

砂を掴む足の指がおぼつかない。身体が寄せては返す波に揺らされて、ふらふらと頼りなくて、支えのない海の中ではすぐに倒れてしまいそうだった。

……違う。そうじゃない。

私はショックだったのだ。アキくんが、私を突き放したことが。

鼻の奥がつんとするのは、けして塩辛い海水のせいなんかじゃない。

「いやなんだよ、ナオ」

びくり、と私の肩が震える。

どうして、と信じられない気持ちになる。どうしてまだ、そこに留まっているのだろう。

「危ないよ、アキくん。もう帰って」

ふらつきながらも、振り返らずに私は声を張る。でも激しい波の音に掻き消されて、声はうまく届いている気がしない。

「こんなところに置いていけるわけないだろ」

でも彼の低い声だけは、私の鼓膜を寸分違わず貫いている。

「俺が諦めるのを諦めさせたくせに、勝手すぎるだろ」

私は、立ち止まらない。

「俺は秋也に土下座してでも、消さないでくれって頼み込む。泣いて縋って、みっともなくても情けなくても、生きることに全力でしがみつくことにした」

お腹まで海水に浸かる。

「ナオと一緒に生きたいからだよ」

冷たさに息が詰まる。波間で翻弄される。

「俺と動物園に行くために、俺と遊園地に行くために、俺とお祭りに行くために、俺と水族館に行くために、俺と映画館に行くために、ナオは生まれてきたんだろ」

胸まで、海水に浸かる。

「まだ、動物園と祭りにしか行ってない」

足の裏が、砂についていない。

「どこにも行かないでくれ。泡になるくらいなら、ずっと俺の傍にいてくれ」

懇願するように、涙に濡れて叫ぶ声が波の音よりも大きくて。

私は。

聞こえない振りなんて、できなかった。

「好きなんだよ！」

ああ………。

空洞になった胸の真ん中を、からからと、何かが回りだす音がする。

でも、私はそれを認められない。認めてはいけない。認めたら、消えるのが怖くなってしまう。

ううん。それもやっぱり、違う。

本当は最初から。

彼に会えなくなるのが、怖くて仕方がなかったのに。

「ナオ！」

切羽詰まった悲鳴が聞こえた。

見上げれば、眼前に高い波が押し寄せていた。

私は叫ぶ間もなく、黒い水の奔流へと呑み込まれていた。

目を開いていられない。冷たくて暗い闇に囚われないよう、必死に手足を動かす。

どっちが上で、下なのか。右も左も分からないまま暴れれば、流れてきた枝か何かに当たって手首がしびれる。口の中にしょっぱい砂が入って、がぼっと泡を吐きだす。

私はこんなつまらない泡の一粒に、なるのか。

いやだ。

いやだ、いやだ、いやだ！

……ぐん、と力強い手を感じたのは、そのときだった。

がっしりとした筋肉質な腕。すぐにそうだと分かったのは、何度か触れて、その逞しい感触を知っていたからだった。

私は暴れるのも忘れて、身体の力を抜いた。

ぜんぶ預けて、抱きしめられていた。

暗い波が生き物みたいに勢いよくうごめく。その流れに彼は逆らわなかった。砂浜に向かって押し寄せる波の中から、私を抱えて脱出する。

「ぶはっ」

顔が水の外に出た、と、すぐに分かった。

濡れた砂浜に転がり出る。直後、私は何度も咳き込んで、呑み込んでしまったしょっぱい水を吐きだして、身体を折り曲げてうえぇと喘いだ。

苦しい。痛い。あちこち小さな傷ができたのか、海水が肌に染みている。

でも痛いのも、苦しいのも、私が生きているからだった。

「大丈夫?」

ぜえぜえ言っている私の背中を、彼が撫でてくれる。

私はワカメみたいになった髪の毛の間から、すぐ近くにある彼の顔を見た。

私を見つめる瞳が、きらきらと光っている。ようやく気がついた。空を覆っていた雲が動いて、明るい月がその目を煌々と照らしていたことに。

星は頭上でちかちかと瞬いていて、それはなんだか泣きたいくらいに、美しい夜だった。

死んでも死にきれないくらい、きれいで温かな夜だった。

彼が私の髪を整えてくれる。濡れそぼって紺色の夜空より濃い色をした髪の毛を、丁寧に。

髪も口の中も、制服もじゃりじゃりしている。砂まみれの私はやりきれなくて、呟いていた。

「大丈夫、じゃ、ない」

とたんにアキくんは心配そうな顔をする。

「どっか痛いのか」

「だって私、なんにもないんだよ」

からからと、音がする胸を力任せに押さえる。

「名前だってただの借り物。保険証や、学生証や、家や、家族や、自転車だってそう。私はなんにも持ってないの。空っぽなんだよ」

「十九万八千七百五十円がある」

「違(ちが)う。今は十九万三千四百三十円」

電車賃に飲み物代、バス代、動物園のチケット代とか。

二人で撮(と)った写真の代金。カピバラ温泉のビーフシチュー。

君の口の中で溶(と)けたメロンのかき氷。半分このたこ焼き。かけがえのないたくさんのものが、ただでさえ軽くなった私の全財産を、もっと軽くしていった。

「ハーフアップの髪型(かみがた)がある」

「このゴム、お母さんのだもん。洗面所にあったやつ。ホテルのアメニティだって」

「あと俺」

からから、は、ホイールの音だった。

波音も、崩(くず)れ去(さ)る砂のお城も、ぐわぁっと流されてどっかに行っちゃった。

「俺がいるけど、どう」

それじゃだめなの、って、ちょっと不満げに言う。

月明かりに照らされた耳も、頬も赤く色づいていて、目が離せなくって、

「だ」

震えながら、私はどうにか首を横に振る。

「……だめ、じゃ、ない」

彼が寄越してくれたぶっきらぼうな一言は、もう、私の胸にきれいに収まってしまった。

歪な穴だった。二度と、埋められるはずのない傷だったのだ。

それなのに見事に塞がれてしまった。他にぴったりと収まる何かなんて、世界中を探したって見つからないのだろう。

「私、ばかだったね」

今さら、おそろしくて手足が震えだした。とんでもないことをしようとしていた。

消えるだなんて、きれいな言葉で覆っていたけれど、私、死のうとしたんだ。

あんなに痛かったのに、また、死のうとしていたんだ。

ぽろぽろと頬を流れ落ちた涙が、砂に混じる。海はますます塩辛くなっていく。悲しみと後悔と恐怖と、そうじゃない何かがごちゃ混ぜになっていく。

アキくんの両腕が、泣き続ける私をぎゅうと抱きしめる。

温かくて、ほっとして、その瞬間、堰を切ったように涙が溢れていた。

「君がいるのに死ぬなんて、ばかだ」

私は声を上げて、わあわあと泣いた。

ばかだったね、私。こんなに優しい人が隣にいるのに。

ざぶざぶと波をかき分ける手を、当たり前みたいに摑んで、引き戻してくれる人がいるのに。

「大好きな君を置いていくなんて、ばかだった。ごめんね。ごめんなさい」

アキくんの肩が、何かに反応したように身動ぎする。

そのときだった。

『どあほー！』

急にどこかから大きな声で怒鳴られて、私とアキくんはびくりと震えて、ぱっと離れていた。

驚きすぎて涙は引っ込んでいた。

というのも聞こえたのは、私たちがよく知っている声だったのだ。

アキくんの胸ポケットから覗くスマホは、スピーカーモードにしてあるらしい。合成音声だろうとなんだろうと、その声を私が聞き間違えるはずはない。

「りっちゃん？」

「今、広中も学校近くを捜し回ってて。見つけたら連絡くれって言われて、そういえば繫ぎっぱなしだったかも」

バスケの一件の際、文芸部全員の連絡先は交換してあった。

「スマホ壊れなかったんだ」

「防水性だからな」

「へぇ、すごい」

『んなこたどうでもいい！』

はい、と二年生二人はその場に正座をした。

足裏をちくちくと苛んだ砂は、今は柔らかいクッションみたいに私を受け止めてくれた。

『このあんぽんたん！　おたんこなす！　もうナオ先輩ってば、身勝手なすなすなす！』

りっちゃんはかんかんに怒っていた。私はおそれおののいたが、同時に申し訳なさが募る。

本当は、心配する必要なんかない。りっちゃんと仲良しの愛川素直は、今も家の中で過ごしているのだから。

「りっちゃん。あの」

『ハーフアップのほうがナオ先輩、でしょ』

息が止まった。

どうしてと問う声は発音できたかも怪しかったが、りっちゃんには届いていたらしい。

『分かりますよ。だってぜんぜん違いますもん』

軽やかに笑う声がする。小学生だった頃から、りっちゃんの笑い声が私は好きだった。耳にするだけで気持ちが弾む。一緒に笑っていたくなる。

そういえばりっちゃんはいつも、私にプリッツを分けてくれた。

ポッキーが好きな素直。プリッツが好きな私。

たぶんりっちゃんのバッグには、どちらのお菓子も常備されていたのだ。

『どこにも行くとこないなら、うちに来てくださいよ。なんとかします。なんでもやりますから』

私と彼のやり取りが聞こえていたのだろう。りっちゃんは説明していない事情についても、少なからず把握しているようだった。

『だから、ひとりでどっか行っちゃ駄目です。素直先輩に連絡したら、ナオ先輩が帰ってこないっていうから……心配で心配で、気がおかしくなりそうでしたよ』

「りっちゃん」

私はそれ以上、なんて続けていいか分からなくなった。

素直と私が気づいていなかっただけ。りっちゃんは幼い頃から私たちを真っ正面からちゃんと見て、向き合ってくれていたのに。

情けないやら恥ずかしいやらで、涙じゃなくて今度は大量の鼻水が出てきた。

「ごめん。ごめん、りっちゃん。ありがとう」

ズボンのポケットを探っていたアキくんに何かを差しだされる。ぐすぐす洟を啜りながら目を向けたら、開封していないポケットティッシュだった。

恐る恐るフィルムを開けると、内部にも海水が入り込んでいたが、ないよりはマシである。

私はいそいそと、濡れた部分の少ない真ん中あたりのティッシュを取りだした。

鼻をかむ。

ちーん、と夜の海に間抜けな音が響く。月の浮かぶ海に目を向けてくれるアキくんの優しさが、ありがたいような、気恥ずかしいような。

『今夜はどうするんですか。うちに来ます？』

ちーんが終わったタイミングを見計らって、りっちゃんが声をかけてくれた。

「大丈夫。家に、ちゃんと帰るよ」

『えー』

安心してくれるかと思いきや残念がるりっちゃんだが、明るい声で続ける。

『じゃあ今度うちでお泊まり会しましょうよ。親いない日に三人で』

「三人？」

『自分とナオ先輩と、素直先輩で』

想像してみて、いつかの夢の続きのようで楽しくなった。

でもそれなら、何人か足りない人がいる。ちらりと隣を見た。

「アキくんは？」

『女子だけのお泊まり会に彼氏を連れ込む気ですか、この人は』

「彼氏？」

「彼氏だよ」食い気味に、彼が声を張った。「彼氏だろ」

　私とりっちゃんはスマホ越しに顔を見合わせて、けらけらと笑った。笑われたアキくんは不機嫌そうに口をへの字に曲げている。

　彼氏、だって。

　なんて、頼りない言葉なんだろう。

　彼と付き合っている私。私は、私。

　そう言い切れるだけの確固たる自分を、自分にしかない何かを、持ち合わせている人はほとんどいないのだろう。人間だろうと。レプリカだろうと。

　こんなに優しい手があることを、生まれてきて十年近く経つのに、私が知らなかったように。

　この世にはまだまだたくさんの神秘が眠っている。

　レプリカだって、恋をする。教えてくれたのは、彼だ。

最終話　レプリカは、恋をしている。

原稿用紙の束はマチつきの封筒に入れて、ぺたっと送り状をつけて送る。

口が大きいポストから、定形外郵便としてぐいぐい投入することもできるけれど、郵便局からきちんと送りたいというりっちゃんの気持ちはよく分かる。目に見える形で、大事な作品の出立を見送りたかったのだろう。

ぱんぱんに太った封筒を窓口に出したりっちゃんが、「よろしくお願いします」と慇懃に頭を下げている。

そんな後輩の姿を私とアキくんは、背もたれのないソファに並んで見守っている。隣に目を移すと、彼はかちんこちんになって、耳の下に肩を張りつかせていた。

今日のアキくんは、清潔感のある白い半袖Tシャツに黒スキニー。足元は白のローカットスニーカーというシンプルな出で立ちなのに、やたらとかっこいい。

平日じゃなくて、制服じゃないってだけで、どうしてこんなに胸が騒ぐのだろう。隣の私はドキドキを味わいながら、わざとからかい混じりに言う。

「なんで副部長が緊張してるの」

私はデニムのショートジャケットに、ハイウエストの白いワンピースを合わせている。今日のために制服を借りたいと伝えた私に、素直は呆れた顔をして、「話した感じはこのへん好きそうなんだけど……」などと呟きながら服装や靴、ショルダーバッグを貸してくれて、薄いお化粧も施してくれた。

いずれは私も、自分で服を買ってみたい。新たな目標である。

「いや、なんか、その場で結果が出ないのって緊張するっていうか」

「それは、私も分かるかも」

今回りっちゃんが応募するのは九月末に締切りが設定された小説賞で、一次選考の結果は十二月に発表されるそうだ。そのあと二次、三次と続いていくそうなので、結果が分かるには相応の時間がかかる。

「いい結果だといいよね」

「おう」

もう一度、手を合わせたい気持ちになる。私たちの守り神たる扇風機は、今日は部室でお留守番をしている。

扇風機は、どれもほんもの。

「レプリカの国って、どこかにあるのかな」

独り言めいた呟きに、アキくんが不思議そうにする。

ここ最近、ずっと考えていた。

私とアキくんだけじゃなく、他にもレプリカがいるんじゃないかって。

自分と同じ顔をした存在に出会った人たちは、誰にも言えないから秘密にしているだけで、本当はもっともっとたくさんの人が、レプリカを見知っているのかもしれない。

同じクラスにも、実はいたのかもしれない。私たちが見逃していただけで。

「次に行きたいのは、そこ？」

頷こうとして、私は首の動きを押し留めた。

素直の傍に留まれば、私は人として生きていけないのだと知った。

だから夜の海に消えてしまうつもりだった。でも私は息を吸って、地面を歩いている。開き直って、まだここにいる。

私が消えなくて良かったと言ってくれた素直。ひとつきりのベッドを譲ってくれた素直。私のことが怖いと言った素直。私が優しいと言った素直。たくさんの素直を、私は心の中で反芻する。

私は、愛川素直というひとりの少女から生まれた。

いずれ私は、素直から旅立たなくてはならない。海の見える町を離れなくてはならないときが、必ずやって来る。

「ううん。今は、まだ」

でも投げやりになって、右も左も分からないまま飛びだしたりはしない。

私は、まだしばらく素直と一緒にいる。自分で考えてそう決めた。

アキくんも私の意見を尊重してくれた。真田くんが学校に行けるようになるまで見守りたいという思いも大きいようだった。

「まずは来月の文化祭を成功させないとね」

それと素直に勉強を教えなくちゃいけない。後先考えず甘やかしてしまった分、これからはスパルタで取り返さないと。

素直はいやがっていたけれど、ちょっとだけ口の端が緩んでいたのを、私は知っている。なんにも知らなかった素直のことを、私は少しずつ知っていく。

「浜名湖パルパルにも行きたいし」

「俺抜きのお泊まり会も？」

どうやら根に持っているようだ。

「じゃあ真田くんの家でもお泊まり会、やろうよ」

アキくんの動きがぴたりと止まる。

「どうやって秋也を追いだすかが、鍵だな」

何やら顎に手を当てて考え始めてしまった。あまりに真剣な眼差しに、話しかけられなくなる。うかつな発言だったかもしれない。

でもまぁ、いいか。

「先輩方、ありがとうございますー。お休みの日に付き合っていただいて」

大事な用事を終わらせたりっちゃんがぱたぱたと戻ってきた。ブラウンのシャツにチェックのパンツ姿のりっちゃんは、元気な少年みたいでかわいらしい。

「いえいえ。お疲れ様」

まだ唸っているアキくんの肩を叩いて、私は立ち上がる。

土曜日の午前。今日は過ごしやすい気候だし、遊ぶ時間はたっぷりと残っている。

これからどこに行こうかと話しかけようとした矢先に、しゅたっとりっちゃんが敬礼のポーズを取る。眼鏡の奥の瞳が、きらんと光る。

「では自分はこれで失礼します！」

「ええっ」

どうして急に。

言い逃げするみたいにさっさと郵便局を出て行く背中を、慌てて追いかける。

「りっちゃん、どこか遊び行こうよ。それとも何か用事？」

「いやいや。その格好からしてデートする気満々でしょ？　さすがに邪魔できませんって」

デート。

その単語に、私とアキくんは思わず顔を見合わせた。お互いの頬が赤い。

「なに、うっとり見つめ合ってるんですか。これだから若い人たちはまったく」

わざとらしく煙たがられると、ますます恥ずかしくなってしまう。でも今日は、大事な話があるのだ。

「実はちょっと話したいこともあるの」

「文芸部に入ったほうの真田先輩も、レプリカってことですか？」

今度こそ私は開いた口が塞がらなくなった。アキくんはといえば、特に驚いていない。

「あの会話、聞こえてたんだもんな」

「ですです」

私は居たたまれなくて沈黙した。子どもみたいに駄々をこねた挙げ句、彼によって海から助けだされた一部始終を、そういえば後輩に聞かれていたんだった。

「それと自分、このあと素直先輩と遊ぶ用事が入ってるんですよ。だからパスってことで」

「ええっ」

「では、また部室で！」

にこやかに手を振ると、りっちゃんは静岡駅の方角へと去っていってしまった。

置いて行かれた私は無理やり片手を挙げてみたものの、しゅんと項垂れてしまう。

「なんか悔しい」

私、まだお休みの日にりっちゃんと遊んだことないのに。

素直とりっちゃんはどこに行くんだろう。お昼が近いからまずはごはんかな。そのあとはカラオケとか？

せめてお昼くらい、私と食べてくれればいいのに！

「俺とのデートより、広中のほうが上か」

はっとする。後ろで腕組みをした憮然な面持ちが待ち構えていた。

「やきもちだ」

「違う」

おかしくて、ふふ、と頬を緩めて笑ってしまう。

アキくんは首の後ろに手を当てて、変な方向を向いた。

「今日の格好、かわいいな」

小さな声で言われると、顔が上げられなくなる。

私はきゅっと唇を噛んで、さくらんぼ色の下唇を湿らせた。素直には、色が落ちちゃうから気をつけるように言われているけれど。

両手で、頼りないショルダーストラップを握る。

「ありがとう。ア、アキくんも、かっこいいよ」

緊張のあまり軽く噛んだ私の頭上で、もっと噛みまくったアキくんが何かをもごもごと言った。たぶん、ありがとう、みたいな言葉だったのだと思う。

たどたどしい私たちは、しっかり者の後輩に見捨てられてしまったので、なんとかこのしゃぼん玉みたいな空気を自力で立て直さなければならなかった。

がんばって仕切り直してくれたのは彼だった。

「これからどこ行くか」

それなら、本当はどこでもいい。どこじゃなくたっていい。
一緒にいるだけで、幸せだから。
でもその日の予定だけは、最初から決めていた。
「映画！」
屈託なく笑って、手を握り合う。
繋いだ指と指の間に、穏やかな秋の風が絡まっている。
彼が隣にいる。初めてで特別な休日が、始まる。

レプリカだって、
恋をする。

あとがき

わたしは怠惰な人間です。

幼稚園児の頃はあまり覚えていませんが、小学生の頃から毎日どうやったら学校をサボれるか真剣に考えていました。

全裸で寝たら、熱が出て休めるかも。冬の夜、大声で叫びながら公園を爆走してみたら？あるいは自分と瓜二つの人物が現れて、「代わりに学校行ってくるから、布団の中でゲームやっていいからね。チャオ」なんて微笑んでくれたら最高なのに！

でも、もしわたしのそっくりさんが、怠惰なわたしよりもすっごくいい子で、可愛くて、勉強ができて、クラスの人気者になってしまったら……わたしの居場所はなくなっちゃうかも、なんて考えて怖くなったものでした。

そんな昔のことを思いだしては、じゃああのとき生まれてこなかったわたしのそっくりさんは、どんな人だったのだろう。わたしの代わりに学校に行かされたら、何を考えていたのだろうと思いを馳せていました。

そんな取っ掛かりから生まれたのが「ドッペルゲンガーは恋をする」、本にしていただくにあたり改題しまして「レプリカだって、恋をする。」の物語になります。略してレプリコ、と作者は呼んでいます。

作家を名乗るには、わたしには想像力の翼というものが不足しているな、というのを常々感じています。そこを補うために、舞台は生まれ育った静岡県静岡市に設定しました。

山と海に囲まれた、のんびりとしたところです。主人公であるナオや素直たちが歩き回り、自転車をせっせと漕いで生活しているところです。

何か誇れるようなものがあるかと問われると、「富士山とか……見える」しか言葉が出てこないのですが、いいところです。本当です。

興味がありましたら、ぜひ遊びに来てみてくださいね。そのときはきっとどこかの町角で、ナオたちとすれ違うことでしょう。

本作は第二十九回電撃小説大賞にて、大賞という栄えある賞を頂戴しました。

まだまだ実感に乏しいのは、ご連絡をいただいた際に担当様から「くれぐれも発表までご内密にお願いします」と念を押されたからでしょうか。「やったー」や「バンザーイ」などの快哉を、今のところ一度も叫んでおりません。

家の中に盗聴器を仕込まれていたら、悪の組織に受賞の事実が知られてしまい、この話が流れてしまうかもしれないとおそれていたからです。警戒しすぎた結果、完全に喜ぶタイミングを逸した人になってしまいました。

最近は母から「自慢じゃないですけど、実は娘が電撃大賞取ったんですよね〜」とマウンティングされるようになりました。母の娘に負けないようにがんばります。

負けないぞの意思表示としまして、今、このあとがきを書きながら初めて、おそるおそる両手を挙げてみています。バンザーイ（ウィスパーボイス）

バンザーイから平伏のポーズになりつつ、謝辞に移らせていただきます。

この作品を見つけてくださった電撃メディアワークス編集部の皆様。おもしろいと評価してくださった選考委員の皆様。全力で作品に向き合ってくださった担当様。本当に本当に、ありがとうございます。恩を返していけるよう、これからもこつこつ歩んでいきます。

イラストレーターのｒａｅｍｚ様には、素晴らしいイラストで作品を彩っていただきました。完成したカバーイラストを初めて拝見したときの胸のときめきが忘れられません。今もずっとドキドキしています。ありがとうございます、今後とも何卒よろしくお願いいたします。

そして、この本をお手に取ってくださったあなたに心から感謝を申し上げます。楽しんでいただけたなら、それ以上に嬉しいことはありません。

結局、学校を休む方法はいろいろ考えて、試したものも試さなかったものもありますが、ほとんどの場合はあえなく失敗し、熱が出た日はありませんでした。

わたしは怠惰な人間ですが、怠惰人間が面倒くさがりながらも生きてきた結果、このお話が生まれました。

渋々、布団から出て顔を洗って、そうして始まったあのぐうたらな一日も、ちゃんと今日まで積み重なっているのではないかと思います。

これからもそんな風にのんびりと積み上げながら、お話を綴っていきたいです。

二〇二二年十二月　榛名丼

引用文献

■本書六〇頁 二行目 ①《精神的に向上心のないものは、ばかだ》
本書一五九頁 九行目／一六〇頁 三行目／二一九頁 一五行目 ②《もっと早く死ぬべきだのになぜ今まで生きていたのだろう》

↓夏目漱石 『こゝろ』角川文庫（角川書店、一九五一年）一八八刷 ①二三八頁／②二五五頁

■本書一四一頁 一～二行目／一四六頁 一七行目～一四七頁 一行目 《ぼくはカムパネルラの行った方を知っていますぼくはカムパネルラといっしょに歩いていたのですと云おうとしましたがもうのどがつまって何とも云えませんでした。》

↓宮沢賢治 『新編 銀河鉄道の夜』新潮文庫（新潮社、一九八九年）五六刷二二一頁

◉榛名丼著作リスト

「レプリカだって、恋をする。」（電撃文庫）

本書に対するご意見、ご感想をお寄せください。

ファンレターあて先
〒102-8177　東京都千代田区富士見2-13-3
電撃文庫編集部
「榛名丼先生」係
「raemz先生」係

本書は第29回電撃小説大賞で《大賞》を受賞した『ドッペルゲンガーは恋をする』を加筆・修正したものです。

電撃文庫

レプリカだって、恋をする。

棒名丼

2023年２月10日　初版発行
2024年８月５日　４版発行

発行者　山下直久
発行　株式会社KADOKAWA
〒102-8177　東京都千代田区富士見2-13-3
0570-002-301（ナビダイヤル）
装丁者　荻窪裕司（META＋MANIERA）
印刷　株式会社暁印刷
製本　株式会社暁印刷

●お問い合わせ
https://www.kadokawa.co.jp/（「お問い合わせ」へお進みください）
※内容によっては、お答えできない場合があります。
※サポートは日本国内のみとさせていただきます。
※Japanese text only

※定価はカバーに表示してあります。

ISBN978-4-04-914873-2　C0193　Printed in Japan

電撃文庫　https://dengekibunko.jp/

電撃文庫創刊に際して

文庫は、我が国にとどまらず、世界の書籍の流れのなかで〝小さな巨人〟としての地位を築いてきた。古今東西の名著を、廉価で手に入りやすい形で提供してきたからこそ、人は文庫を自分の師として、また青春の想い出として、語りついできたのである。

その源を、文化的にはドイツのレクラム文庫に求めるにせよ、規模の上でイギリスのペンギンブックスに求めるにせよ、いま文庫は知識人の層の多様化に従って、ますますその意義を大きくしていると言ってよい。

文庫出版の意味するものは、激動の現代のみならず将来にわたって、大きくなることはあっても、小さくなることはないだろう。

「電撃文庫」は、そのように多様化した対象に応え、歴史に耐えうる作品を収録するのはもちろん、新しい世紀を迎えるにあたって、既成の枠をこえる新鮮で強烈なアイ・オープナーたりたい。

その特異さ故に、この存在は、かつて文庫がはじめて出版世界に登場したときと、同じ戸惑いを読書人に与えるかもしれない。

しかし、〈Changing Times,Changing Publishing〉時代は変わって、出版も変わる。時を重ねるなかで、精神の糧として、心の一隅を占めるものとして、次なる文化の担い手の若者たちに確かな評価を得られると信じて、ここに「電撃文庫」を出版する。

1993年6月10日
角川歴彦

クセつよ異種族で行列ができる結婚相談所
～看板ネコ娘はカワイイだけじゃ務まらない～
五月雨きょうすけ
illust. 猫屋敷ぷしお
見習い秘書係のネコ娘、
今日も頑張っています！
第29回 電撃小説大賞受賞作
電撃文庫
特設サイトをcheck!!
STORY
訪れるのはワケあり相談者ばかり？
異種族同士の婚活って大変なんです！
ドタバタ婚活ファンタジー、はじまります!!
電撃文庫

卒業式、俺は冴えない高校生活を思い返していた。成績は微妙、夢は諦め、恋人とは自然消滅。しかも彼女は今や国民的ミュージシャン。すっかり別世界の住人になってしまっていた。

だがその日。**元カノ・二斗千華**（にとちか）**は遺書を残して失踪した。**

呆然とする俺は……気づけば入学式の日、過去の世界に**タイムリープ**していた。

この世界でなら、二斗を助けられる?

……いや、それだけじゃ駄目なんだ。**今度こそ対等な関係になれるように。彼女と並んでいられるように。俺自身の三年間すら全力で書き換える!**

卒業（おわり）から始まる、青春やり直しラブストーリー。

電撃文庫

図書館で遭遇した野生のバニーガールは、高校の上級生にして活動休止中の人気タレント桜島麻衣先輩でした。『さくら荘のペットな彼女』の名コンビが贈る、

フツーな僕らのフシギ系青春ストーリー。

電撃文庫

男女の友情は
成立する？
いや、しないっ!!
七菜なな
イラスト／Parum
アタシと親友だけの青春やってようぜ！
友情を誓った親友同士が――まさかの〈両片想い〉に!?
ある中学生の男女が、永遠の友情を誓い合った。1つの夢のもと運命共同体となったふたりの仲は、特に進展しないまま高校2年生に成長し!?　親友ふたりが繰り広げる、甘酸っぱくて焦れったい〈両片想い〉ラブコメディ。

電撃文庫

二月 公
イラスト／さばみぞれ
声優ラジオのウラオモテ
#01 夕陽とやすみは隠しきれない？
オモテは元気＆清楚なアイドル声優／
ウラはギャル＆根暗地味子な女子高生!?
プロ根性で世界をダマせ!
バレたらアウトの声優ラジオ
Now On Air!!
第26回
電撃小説大賞
大賞
受賞
電撃文庫